Clélia PACCAGNINO
Marie-Laure POLETTI

GUIDE PÉDAGOGIQUE

Une démarche d'appui à l'enseignement grâce à
• des conseils pédagogiques (comment mener une classe avec KANGOUROU),
• des conseils linguistiques (quels dialogues susciter dans la classe),
• et tous les corrigés des activités.

HACHETTE F.L.E.
58, rue Jean-Bleuzen
92170 Vanves

Pour les enfants qui ont la tête en fête

KANGOUROU et Compagnie

Abécédaire de fantaisie

Un programme vidéo en 15 émissions de 20 minutes chacune
présentées dans un coffret de 5 cassettes
avec livrets de transcription
et activités d'accompagnement.

Maquette de couverture : Pronto

Réalisation : Valérie Rachline

ISBN 2 01 0178254

© Hachette, Paris, 1992

SOMMAIRE

Le prolongement idéal de
KANGOUROU
à l'école ou à la maison

A**ll**ons!

Journal scolaire en français pour les enfants
publié par MGP International.

A**ll**ons! *c'est 6 numéros par an avec :*
• *un éventail de jeux, d'activités, de concours, de bandes dessinées, de reportages et d'informations culturelles ;*
• *de nombreuses bonnes adresses en France pour correspondre avec d'autres jeunes et échanger des informations, des avis sur un sujet abordé dans la revue ;*
• *des notes pour l'enseignant, des livrets de travail et des cassettes facultatives.*

OFFRE SPÉCIALE !

Vous enseignez le français aux enfants.
Vous utilisez **KANGOUROU** avec une classe d'au moins 12 élèves.
Vous avez droit à **25%** sur un abonnement d'un an à A**ll**ons!

Envoyez votre demande d'abonnement accompagnée d'une preuve d'achat de votre libraire ou de votre établissement à :

Richard KEMP
MARY GLASGOW PUBLICATIONS LTD
Avenue House
131-133 Holland Park Avenue
LONDON W11 4 UT
GRANDE-BRETAGNE

J'utilise **KANGOUROU** avec une classe d'au moins 12 élèves.
J'ai droit à **25%** sur un abonnement d'un an à A**ll**ons!

Nom ....Prénom ....

Nom de l'établissement ....

Adresse ....

KANGOUROU est un ensemble pédagogique s'adressant à des enfants déjà scolarisés dont le français n'est pas la langue maternelle.
Il a été conçu idéalement pour les enfants entre 8 et 11 ans, mais il peut également convenir dès 7 ans, si les enfants pratiquent déjà la lecture et l'écriture en langue maternelle.

KANGOUROU peut être utilisé par des enseignants d'école primaire spécialistes ou non spécialistes du Français Langue Étrangère (FLE), ou par des professeurs de langue qui n'ont pas l'expérience des classes primaires.
Véritable «passeport» pour le cycle secondaire, **KANGOUROU** initie l'enfant à une autre langue et à une autre culture en prenant en compte avant tout son quotidien, ses centres d'intérêt, son imaginaire.
Il donne la priorité à la communication, pratiquée à travers une gamme d'activités, de jeux, de comptines et propose ainsi une première approche du français dans le cadre d'un apprentissage structuré et progressif.

L'ensemble pédagogique **KANGOUROU 1** se compose d'un livre d'activités pour l'élève, entièrement illustré et riche en couleurs, d'un guide pédagogique à l'intention de l'enseignant, qui lui permettra d'adapter la méthode aux besoins spécifiques de sa classe, d'une cassette qui contient les dialogues de la bande dessinée, les comptines et les activités orales qui servent de support à la compréhension orale et au travail sur l'intonation, d'un matériel de classe (des affiches, un coffret de figurines avec un tableau de feutre et un jeu de cartes), support de toutes les activités.

Pour répondre à l'extrême diversité des situations d'enseignement du français langue étrangère à l'école primaire, le guide pédagogique a été construit de façon originale et propose des conseils pédagogiques et linguistiques présentés en parallèle.
Ce choix méthodologique – ainsi que la conception de l'ensemble du matériel – puise ses sources dans le travail mené depuis plus de dix ans dans le canton suisse du Tessin, où le français est enseigné par les instituteurs dans les trois dernières années du primaire à tous les enfants de 8 à 11 ans.■

Les auteurs

LES AUTEURS :
Clelia Paccagnino, Professeur à l'École Normale de Locarno (Suisse) et Directeur du «groupe de français pour l'école primaire dans le canton du Tessin».
Marie Laure Poletti, Professeur agrégé, Chargée d'études au Centre International d'Études Pédagogiques (CIEP) et responsable pour le CIEP de stages de formation initiale et continue d'enseignants.

RÉFLEXIONS MÉTHODOLOGIQUES

POURQUOI ENSEIGNER UNE LANGUE ÉTRANGÈRE À L'ÉCOLE PRIMAIRE ?

Dans un certain nombre de pays et de situations, la langue étrangère est introduite dès la petite enfance (3–6 ans) avant l'apprentissage de la lecture et de l'écriture en langue maternelle.

Dans ce cadre, il ne s'agit pas d'un apprentissage au sens propre, mais d'une sensibilisation qui peut éventuellement aboutir au choix du français comme langue d'enseignement.

L'ensemble pédagogique que constitue **KANGOUROU** ne se situe pas dans cette perspective, mais s'adresse à des enfants scolarisés qui pratiquent déjà l'écriture et la lecture en langue maternelle.

Il se donne comme premier objectif l'enseignement/apprentissage du français langue étrangère comme moyen de communication et d'expression supplémentaire dans le cadre du vécu quotidien de l'enfant.

Il se propose également de contribuer, à plus long terme, au développement harmonieux de la personnalité de l'enfant en l'éduquant à aller vers l'autre et à être à son écoute.

LES CARACTÉRISTIQUES DE L'ENSEIGNEMENT D'UNE LANGUE ÉTRANGÈRE AUX ENFANTS DE 8 À 11 ANS

L'enfant de cet âge possède des savoirs et plusieurs savoir-faire dans différents domaines.

Il sait par exemple qu'il communique avec les autres grâce à un langage codé – sa propre langue –, que celui-ci possède certaines caractéristiques et qu'il peut aussi l'utiliser comme moyen d'expression personnelle.

Son expérience et l'école lui ont aussi appris qu'il existe une langue écrite dont il découvre progressivement les fonctions spécifiques. Très souvent aussi il est conscient qu'il existe d'autres langues de communication que la sienne (présence d'étrangers dans son propre pays, situations de multilinguisme, bilinguisme familial, diffusion par les médias...).

Dans la mesure où il est dans une phase de construction de sa personnalité et de son savoir cognitif, il est opportun de profiter de sa disponibilité et de sa plasticité pour l'aider à s'ouvrir à d'autres façons de vivre, de regarder et d'interpréter la réalité.

C'est en s'appuyant sur cette disponibilité et sur cette curiosité qu'on peut proposer la construction progressive d'un nouvel apprentissage, la langue étrangère.

À cet âge, en plus, l'enfant prend plaisir à retrouver et à jouer en langue étrangère les situations qui lui sont familières parce qu'elles «mettent en scène» l'enfant lui-même et ses proches, sans pour autant le déposséder de son identité et de ses habitudes quotidiennes réelles.

À cet âge, son savoir sur la langue n'est pas encore abstrait mais se construit à travers des manipulations, des classements, des jeux aboutissant à l'emploi et à la construction d'une grammaire implicite.

Enfin, l'enfant de cet âge est encore capable de reproduire sans grande difficulté des sons étrangers à sa propre langue et d'imiter l'intonation d'une phrase appartenant à une autre langue.

Tous ces atouts doivent être sans cesse présents à l'esprit de l'enseignant lorsqu'il met en œuvre des démarches ou propose des activités à ce type de public.

La conception de l'itinéraire pédagogique présenté dans le guide destiné à l'enseignant ainsi que le matériel élaboré pour la classe l'aideront à aller dans ce sens.

CHOIX MÉTHODOLOGIQUES

La thématique
Proche du vécu et des intérêts de l'enfant, elle propose en même temps une ouverture sur une façon différente de vivre le quotidien. (Moi et les autres : famille, copains, école, jeux et loisirs)

La progression
C'est d'abord une progression en spirale, où les mêmes contenus sont présentés, repris, élargis et retravaillés à des moments différents puisqu'on considère qu'une première présentation ou manipulation n'aboutit pas à un apprentissage définitif. En effet, celui-ci nécessite plusieurs moments successifs de réflexion, de reprise et de mise en pratique justifiée.

La progression communicative entend permettre à l'enfant d'aller de soi-même à l'autre (de la présentation de soi-même jusqu'aux questions nécessaires pour mieux connaître l'autre, ses goûts, ses caractéristiques, ses habitudes, ce qu'il fait et quand il le fait).

La progression grammaticale met en évidence quelques aspects seulement du fonctionnement de la langue : genre, nombre, introduction de la conjugaison, temps (aujourd'hui, hier, demain), la localisation dans l'espace...

Les autres aspects de la langue gardent leur fonctionnement implicite.

Les quatre compétences
Dans ce premier niveau, pour des raisons qui nous semblent « naturelles », les compétences orales (compréhension et production) sont largement privilégiées.

Compétences orales
Il s'agit de développer des stratégies de compréhension orale qui permettront à l'enfant de mieux comprendre et de comprendre toujours plus.

En outre, l'enfant sera introduit progressivement à tous les phénomènes oraux les plus fréquents.

Pour provoquer la production orale, **KANGOUROU** offre une gamme variée d'activités et de jeux qui soutiennent une prise de parole adéquate et motivée.

CONSEILS POUR ABORDER L'ÉCRIT

Si vous abordez l'écrit dès la première année d'enseignement, il faudra d'abord permettre aux enfants de se constituer un petit bagage linguistique assez varié à l'oral avant de proposer une série d'exercices de manipulation de l'alphabet français et de l'orthographe d'usage.

Nous avons préparé à cet effet une typologie d'exercices qui se rattachent chacun à une unité mais qui peuvent devenir la matrice d'autres exercices, selon les besoins et les objectifs de votre classe.

Il s'agit d'exercices proposant la recherche et l'écriture des lettres qui manquent (voyelles ou consonnes), la reconstitution des mots déjà connus, la complétion d'un arbre généalogique, la copie ou la mise en relation de mots et d'images.

Cette première rencontre avec le code écrit ne comporte pas forcément la reconstruction d'une vraie pédagogie de l'écrit, que nous réservons aux niveaux suivants, mais représente tout simplement une première phase de sensibilisation soit à un alphabet différent, soit à certaines caractéristiques du français écrit qui seront développées plus tard (ex. : la non-correspondance univoque graphèmes-phonèmes, les lettres qu'on ne dit pas, les diphtongues, les lettres qui se prononcent différemment selon leur position, les accents...)

Nous considérons qu'à ce niveau l'enfant pourra apprendre à reconnaître globalement quelques éléments qui lui permettront ensuite d'aborder une vraie progression qui abordera, dans les années suivantes, le travail sur la correspondance entre sons et graphèmes, certaines règles (le pluriel, le féminin des adjectifs, la conjugaison). Dans cette première étape, par contre, il s'agira d'isoler à l'écrit les mots qu'on connaît déjà à l'oral, de les copier, de les reconstituer, sans arriver à la double pratique de l'écrit « véritable » qui comprend d'un côté la capacité de remonter d'un mot ou d'une phrase connu(e) et pratiqué(e) à l'oral à sa transcription et de l'autre à la création de toutes pièces d'un message écrit organisé selon toutes les caractéristiques du texte écrit visé.

En ce qui concerne la lecture, nous présentons au niveau 1 quelques textes écrits (comptines, consignes, titres) qui permettront à l'enfant de reconnaître des mots ou des phrases et de s'initier ainsi spontanément à la lecture globale. Si votre programme ne prévoit pas l'introduction de l'écrit (lecture et écriture) dès la première année d'enseignement, il est quand même important de favoriser et soutenir cette phase d'approche au code écrit en proposant, sous forme de jeux de reconnaissance et de recherche, une rencontre ludique du monde des signes écrits.

PHONÉTIQUE ET INTONATION

Enseigner la phonétique dans une langue étrangère veut dire aider les enfants à assumer des habitudes nouvelles pour être plus facilement compréhensibles et compris en langue étrangère, pour être aussi mieux acceptés par l'autre qui parle cette langue et qui se meut naturellement dans la communication orale de sa langue maternelle. L'enfant devra apprendre progressivement à respecter les phénomènes et les caractéristiques de la langue étrangère, pour arriver à dire exactement ce qu'il veut dire et pour être totalement lui-même en langue étrangère. Pour arriver à cela, sans forcer aucunement la personnalité de l'enfant, on compte sur sa disponibilité et sur la plasticité de son appareil phonatoire.

Sons : discrimination et articulation

Les sons typiques du système phonétique du français seront d'abord à discriminer, c'est-à-dire à percevoir, à reconnaître et à isoler par les enfants à travers une série de jeux et de manipulations. Il faudra qu'ils les situent à l'intérieur d'un mot ou d'une phrase (en tapant des mains ou des pieds, en les indiquant sur une série de traits qui visualisent les syllabes du mot...)

Ils devront ensuite les articuler, c'est-à-dire les produire en jouant avec des mots qui les contiennent par le biais de jeux tels que le jeu du corbillon, le jeu du train, le jeu de Jacques a dit, le jeu du Kangourou... (voir Unité 2)

Rythme

Chaque langue possède un rythme particulier : le français se caractérise par un rythme très régulier, souligné par la présence d'un groupe de syllabes se terminant par une syllabe fortement accentuée.

Il est facile de faire retrouver ce rythme aux enfants, en leur demandant de l'indiquer par leur corps : ils pourront marcher librement dans la salle de classe en suivant le rythme d'une comptine enregistrée ou en tapant tous ensemble sur la table.

Intonation

Elle est très importante, puisqu'elle véhicule les intonations de celui qui parle, ses sentiments, ses sensations, ses jugements de valeur, ses impressions et états d'âme sans besoin de les expliciter linguistiquement par des tournures.

Les enfants devront adopter une intonation progressivement correcte en entrant dans la «musique» de la langue étrangère par l'imitation des dialogues et des comptines enregistrés sur cassette. L'enseignant veillera à ce que la reconstitution intonative se fasse là où la courbe mélodique de la phrase française est différente de la courbe mélodique de la phrase en Langue maternelle.■

CONTENUS

	ACTES DE PAROLE	RÉALISATIONS LINGUISTIQUES	NOTIONS	GRAMMAIRE	LEXIQUE	PHONÉTIQUE INTONATION
1	■ Saluer ■ demander à quelqu'un de faire quelque chose ■ Demander / donner des renseignements sur une personne ou un objet	■ Salut … ■ Prends (un crayon…) Dessine (la fusée…) Découpe (les ronds…) Colle (les ronds…) ■ Qu'est-ce que c'est ? C'est / voilà (une fusée, un chat…) Qu'est-ce que tu fais ? Qui est-ce ? Voilà… / C'est…	■ Masc. /fém. ■ L'ordre ■ Le présent	■ Un / une / la ■ Les verbes *prendre, dessiner, découper* et *coller* à la 2e pers. sing. de l'impératif ■ Les verbes *prendre, dessiner, découper* et *coller* aux 3 pers. sing. du présent	■ Le matériel et les activités de la classe ■ Les nombres de 0 à 9	Première approche Travail sur l'articulation, le rythme et l'intonation
2	■ Saluer ■ Présenter quelqu'un / se présenter ■ Demander / donner des renseignements sur l'âge ■ Demander à quelqu'un de faire quelque chose	■ Bonjour / bonjour … ■ Voici … Comment tu t'appelles / je m'appelle … ■ Quel âge as-tu ? J'ai … ans. ■ Viens jouer avec nous.	■ Masc. /fém. ■ La quantité ■ Le présent	■ Un / une ■ Combien de… ■ Les nombres de 0 à 10 ■ Les verbes *jouer, lire* et *faire* aux 3 pers. sing. du présent	■ Le matériel de classe ■ Les enfants ■ L'alphabet ■ Les nombres de 0 à 10	[ɑ] [ɔ] [ɛ]
3	■ Demander / donner des renseignements sur le domicile ■ Inviter quelqu'un ■ Exprimer l'accord ■ Exprimer des sentiments, des humeurs	■ Tu habites où ? J'habite… ■ Tu viens chez moi ? ■ D'accord ! ■ Super !	■ La localisation ■ Sing. / plur. ■ L'appartenance ■ Le présent	■ Où ? Chez, sur, sous, dans ■ Un, une, des, le, la, les ■ À qui est-ce ? Voilà les … de … ■ Les verbes être, *inviter, aller* et *se cacher* aux 3 pers. sing. du présent	■ Les nombres de 10 à 20	[y] [u]
4	■ Demander des renseignements à une personne sur son état de santé ■ Exprimer des sentiments et des humeurs	■ Qu'est-ce que tu as ? Tu es malade ? Tu as de la fièvre ? Tu as mal à … ? ■ J'ai mal à la tête…	■ L'appartenance ■ Les couleurs ■ Masc. / fém. ■ Le présent	■ Mon, ma, mes, ton, ta, tes ■ Les adjectifs de couleur ■ Les verbes *avoir, venir* et *devoir* aux 3 pers. sing du présent	■ Le corps humain ■ Les couleurs	[p] [b] [v]
5	■ Demander / donner des renseignements sur une personne ou un objet ■ Exprimer des sentiments, des humeurs ■ Demander / exprimer des préférences	■ Qu'est-ce que c'est ? C'est grand ? C'est… ? ■ Mais non, tu es bête ! ■ Qu'est-ce que tu aimes ? J'aime… / je n'aime pas…	■ La qualité ■ La négation ■ Le présent	■ Ce n'est pas… / Je n'aime pas… ■ Le verbe *aimer* aux 3 pers. sing. du présent	■ Adjectifs descriptifs ■ Les produits alimentaires	[r]
6	■ Exprimer des sentiments, des humeurs ■ Demander / donner des renseignements sur une personne ■ Demander à quelqu'un de faire quelque chose	■ Super ! Génial ! ■ Il a (une moustache…) Mon père est (médecin…) C'est moi… ■ Venez voir mon (album…)	■ La localisation ■ L'appartenance ■ La cause ■ Le présent	■ À gauche, à droite, devant, derrière ■ Mon, ma, mes, mon, ta, tes ■ Pourquoi ? Parce que… ■ Les verbes *regarder* et *s'appeler* aux 3 pers. sing. du présent	■ La famille ■ Les nombres de 20 à 90	[s] [z]

	ACTES DE PAROLE	RÉALISATIONS LINGUISTIQUES	NOTIONS	GRAMMAIRE	LEXIQUE	PHONÉTIQUE INTONATION
7	■ Demander / donner des renseignements sur le temps ■ Exprimer des sentiments, des humeurs ■ Donner des renseignements sur une personne	■ Quel temps fait-il ? Il pleut, il fait beau… ■ Tu es beau ! Tu es belle ! ■ Il est jeune ! Elle est vieille ! …	■ Le pluriel ■ La qualité ■ Le temps (atmosphérique) ■ Les saisons	■ Les verbes *mettre, faire, prendre* et *aller* aux 3 pers. plur. du présent ■ Masc. / fém. des adjectifs	■ Les vêtements ■ Les saisons ■ Le temps (atmosphérique) ■ Adjectifs descriptifs	[f] [v]
8	■ Demander à quelqu'un de faire quelque chose ■ S'excuser, demander pardon ■ Exprimer un souhait, une demande	■ Tu vas mettre tes jouets dans ta chambre (…) Tu portes tes vêtements au 2e étage (…) ■ Pardon, Madame… ■ Maman, j'ai envie de faire pipi !	■ La localisation ■ Le classement ■ Le futur	■ Au (1er / 2e étage…) ■ Les ordinaux ■ Le futur proche	■ La maison ■ Le mobilier	[k] [g]
9	■ Exprimer des sentiments, des humeurs ■ Demander des renseignements sur quelque chose	■ Parfait ! ■ Mais, qu'est-ce que c'est que ça ? Vous avez fait les courses ?	■ La quantité ■ Le temps	■ Les partitifs ■ Le passé composé	■ Les produits alimentaires ■ Les commerces ■ Les jours de la semaine	[ə] [e] [o]
10	■ Demander / donner des renseignements sur une personne ■ Exprimer des sentiments, des humeurs ■ Exprimer l'incertitude, l'ignorance	■ Qui est-ce ? Elle est blonde, elle a les yeux verts, Elle est triste (…) ■ Vous êtes bêtes ! ■ Tu crois ! Peut-être ! Je ne sais pas	■ La négation ■ La qualité ■ Masc. / fém.	■ Ne… pas… (reprise) ■ Les adjectifs ■ Le féminin des adjectifs (suite)	■ Le visage ■ Adjectifs descriptifs	[ʃ] [ʒ]
11	■ Demander / donner des renseignements sur un itinéraire ■ Exprimer des sentiments, des humeurs ■ Donner un ordre / interdire	■ Pardon, Monsieur, pour aller à… Vous continuez tout droit jusqu'à… , il faut tourner à droite, passer sous le pont, prendre ensuite… ■ J'ai peur / vous avez eu peur? ■ Il faut / il ne faut pas…	■ L'ordre ■ La négation ■ Le présent ■ Le passé composé	■ Il faut / il ne faut pas… ■ ne… pas… (reprise) ■ Les verbes *avoir* et *être* à la 3e pers. plur. du présent ■ Le verbe *trouver* à la 3e pers. plur. au passé composé	■ La ville / le quartier ■ Les commerçants ■ L'orientation	[t] [d]
12	■ Demander / dire l'heure ■ Prendre congé ■ Demander des renseignements sur une personne ■ Exprimer une demande, un désir ■ Se présenter	■ Quelle heure est-il ? Il est huit heures et quart / et demie À huit heures… ■ Au revoir, à l'année prochaine! ■ Et vous, que faites-vous ? ■ Envoyez-nous vite une… ■ Nous sommes vos correspondants…	■ Le temps ■ Le pluriel	■ Les verbes *être, avoir, dessiner, faire, jouer, aller, lire, se cacher, se réveiller* et *manger* à la 1re pers. plur. du présent	■ Les moments de la journée ■ L'heure ■ Les activités scolaires	[œ] [ø]

Ces quelques pages constituent le mode d'emploi de l'ensemble pédagogique **KANGOUROU 1.** Toutes les unités étant construites suivant la même structure, les indications données ci-dessous fournissent une trame générale pour une unité-type.

Le livre d'activités de l'élève est construit sur une structure régulière afin d'aider l'enseignant et les élèves à prendre très vite des repères et à savoir quel est le rôle de chaque page et à quel type d'activité elle sert de support.
Il est composé de douze unités de huit pages chacune. Toutes les trois unités, une séquence **Pouce** propose une halte-révision. On peut distinguer ainsi quatre blocs d'unités.
Les pages proposées à la fin du livre concernent l'écrit :
J'apprends à écrire
J'apprends l'alphabet
J'apprends à compter

Le guide pédagogique décrit pour chaque unité l'itinéraire à suivre. Celui-ci propose des conseils tant pédagogiques que linguistiques. C'est pourquoi le parcours proposé se présente en deux colonnes. Les *conseils linguistiques*, dans la colonne de droite, donnent des exemples de réalisations linguistiques possibles pour l'enseignant (indiqué par **P.**) et pour l'élève (**E.**) et sont placés exactement en face des *conseils pédagogiques* qui décrivent la même phase de travail.

Pour savoir ce que contient l'unité et mesurer le chemin à parcourir avec les enfants, il faut, parallèlement, feuilleter le livre de l'élève et lire, dans le guide pédagogique, le tableau récapitulatif qui ouvre chaque unité. Ce tableau met à plat les contenus de l'unité et précise les objectifs visés. Il est découpé en rubriques toujours présentées de la même façon.

ACTES DE PAROLE **RÉALISATIONS LINGUISTIQUES**

Les actes de parole mis en œuvre dans l'unité. On retrouve les mêmes actes de parole dans différentes unités avec des réalisations linguistiques différentes. C'est cette reprise et cet approfondissement qui caractérisent la progression «en spirale».
Chaque acte de parole peut se réaliser dans des formes linguistiques différentes. Ne sont indiquées ici que les réalisations linguistiques utilisées dans l'unité et que les enfants doivent être capables de produire.
Une liste complète des actes de paroles avec leurs réalisations linguistiques se trouve à la fin du guide pédagogique.

NOTIONS **GRAMMAIRE**

Les points mentionnés dans ces rubriques sont abordés dans l'unité de façon implicite ou explicite selon les cas.

LEXIQUE

Les thèmes dominants abordés dans l'unité. Un lexique récapitulant les mots que l'enfant peut produire et/ou comprendre se trouve à la fin du guide pédagogique.

PHONÉTIQUE ET INTONATION

Cette rubrique est liée au travail sur la comptine. Elle précise les sons retenus pour cette unité.

TEXTES ENREGISTRÉS

La liste des textes enregistrés reproduits sur la cassette.

FIGURINES NOUVELLES

La liste des figurines nouvelles utiles à la leçon . D'autres figurines déjà connues peuvent aussi être utilisées mais elles ne sont pas mentionnées dans cette rubrique.

Ces rubriques ne correspondent pas à une chronologie mais regroupent des éléments présentés de façon transversale dans les diverses activités.

Dans le livre de l'élève, la **page d'ouverture** de l'unité propose une table des matières. Les titres mentionnés sont ceux inscrits en haut de chaque page. Les titres imprimés en blanc sur fond noir distinguent les pages fixes (la bande dessinée, la comptine et la page d'Arthur le kangourou) des pages d'activités. L'illustration reprend une partie de celle de la comptine et annonce un thème important de l'unité.
Cette page peut permettre, d'abord éventuellement en langue maternelle puis progressivement en français, d'annoncer aux élèves le contenu thématique et les activités qu'ils auront à faire dans les semaines suivantes. Si les programmes prévoient un travail sur l'écrit, elle peut aussi servir à des exercices gradués de lecture.

Avant de passer à la page B.D. «Sandrine et Julien», il faut d'abord proposer aux élèves des activités qui vont faciliter la compréhension du dialogue enregistré.
Dans le guide pédagogique, cette phase est signalée par un titre **Pour commencer**. On présente aux enfants quelques éléments qu'ils retrouveront ensuite dans le dialogue enregistré, qui leur serviront d'appui et leur permettront de construire peu à peu des stratégies d'écoute.
Pendant les premières semaines de l'apprentissage, les activités peuvent se faire en langue maternelle. Progressivement, on utilise la langue étrangère.
Ces activités s'appuient soit sur les *figurines* dont la liste complète se trouve à la fin du guide, soit sur la réalité de la classe et son environnement. Les figurines, qui sont rassemblées sur des planches, doivent être préparées à chaque unité. Il faut les découper, les colorier avec les enfants, éventuellement les plastifier. La première page de chaque unité, dans le guide pédagogique, donne la liste des figurines nouvelles à préparer.
Ces figurines représentent des personnages ou des objets ; certaines d'entre elles sont des cartes-symbole (temps qu'il fait, couleurs, adjectifs descriptifs...)
Au cours de cette phase de préparation, c'est dans un premier temps l'enseignant qui mène le jeu, puis il fait intervenir les élèves en les faisant mimer, produire à l'oral seuls ou en binôme, en utilisant divers jeux.

La **page B.D.** présente la vie quotidienne de deux enfants français. Elle ne comporte aucune «bulle» donnant une version écrite des dialogues. Elle doit être utilisée avec la cassette. En effet, l'accent est mis sur l'écoute. Il ne s'agit pas de lire les répliques qu'on entendrait dans un enregistrement mais de construire peu à peu des stratégies d'écoute et de compréhension.

Cette page existe aussi sous forme d'*affiche* et servira à la fois au moment de l'écoute et du contrôle de la compréhension.

Les affiches reproduisent les douze bandes dessinées et sont complétées par un abécédaire.

On observe d'abord la B.D. sur le livre ou sur l'affiche pour y retrouver des éléments déjà vus dans la phase **Pour commencer**. On peut demander en langue maternelle de «raconter» ce qui se passe, c'est-à-dire d'essayer de donner des interprétations. Puis on passe à la première écoute du dialogue enregistré.

Sur la *cassette*, le dialogue est toujours introduit par une musique qui donne le signal de l'écoute et laisse aux enfants le temps de se préparer à être attentifs. Elle annonce aussi le thème en créant une atmosphère sonore (le lancement d'une fusée pour l'unité 1, un générique de jeu télévisé pour l'unité 2, etc.).

Les enregistrements ont été réalisés avec des enfants français d'école primaire afin de préserver l'authenticité et de susciter une motivation et une sympathie plus grandes de la part des élèves.

Les enfants n'auront bien sûr pas tout compris, mais l'enseignant doit d'abord mettre l'accent sur ce qui a été compris ou reconnu grâce à la situation évoquée par les dessins (situation générale, intentions de communication...), aux voix (combien de personnes parlent ? qui parle ? qui pose des questions ?...), à la préparation (phase «Pour commencer») et aux hypothèses faites en langue maternelle.

On écoute une deuxième fois pour que tous les enfants repèrent bien les mêmes éléments.

On peut alors passer à la **page de vérification** qui se trouve en face de la B.D.

Cette page d'activités est une page de contrôle de la compréhension du dialogue. Le contrôle s'appuie toujours sur des éléments visuels en relation avec la B.D. Cependant il est conçu de telle manière qu'il est impossible de faire l'exercice à partir des seuls dessins de la B.D., il faut obligatoirement chercher des informations dans l'enregistrement.

L'exercice de contrôle constitue un guide d'écoute qui oblige l'enfant à sélectionner des informations. L'enseignant formule clairement la consigne (rétablir la chronologie des actions, retrouver des éléments de description d'un personnage, etc.) et fait réécouter plusieurs fois le dialogue enregistré.

Ces réécoutes successives conduisent à une correction collective : on revient à l'enregistrement pour vérifier les réponses des élèves, qu'elles soient bonnes ou mauvaises. On fait alors réécouter des fragments du dialogue. À ce moment, on peut faire mettre en opposition les différentes versions données précédemment en langue maternelle.

La phase suivante est une activité de reconstitution du dialogue. Les enfants doivent retrouver ce que disent les personnages. Pour les aider, on peut mimer, mettre une figurine au tableau de feutre, prendre des exemples dans la classe... À la fin de chaque réplique, on réécoute la séquence correspondante dans le dialogue enregistré.

Si la reconstitution se fait avec difficulté, on passe immédiatement à la réécoute. Cette phase est très importante pour obtenir progressivement une bonne articulation et une bonne intonation puisqu'il faut que les enfants fassent «comme» les personnages qu'ils entendent. Il est aussi important d'utiliser la cassette au mieux, c'est-à-dire de faire écouter autant de fois qu'il est nécessaire le passage du dialogue et non pas de lire soi-même la ou les répliques.

Le travail à partir du dialogue se termine par un jeu dramatique qui vise l'authenticité dans l'intonation et la communication et non l'exactitude des répliques par rapport au dialogue de la B.D.

Les enfants vont réemployer des éléments du dialogue mais des modifications cohérentes sont souhaitables. Par exemple, les enfants peuvent choisir de s'appeler par leurs propres prénoms (unité 1) ou de s'habiller autrement (unité 7), etc.

Dans ce cas ils peuvent prendre les figurines correspondant à leur choix et les montrer aux autres ou les afficher au *tableau de feutre.*

Pour réaliser le jeu dramatique, on forme des groupes de deux, trois élèves au plus (selon le nombre de personnages du dialogue), on leur laisse deux ou trois minutes pour se préparer. Puis quelques groupes se produisent devant la classe.

Si on ne peut pas faire passer tous les groupes, on peut demander à tous ceux qu'on n'a pas entendus d'indiquer s'ils ont imaginé d'autres variantes.

Les consignes de ce jeu peuvent être données en langue maternelle ou en français.

La page suivante est une **page d'activités** diverses qui élargit la compétence orale.

Au bas de toutes les pages d'activités, comme des pages de vérification, un bandeau orange indique, pour l'enseignant uniquement, une typologie des activités à mettre en œuvre et le matériel nécessaire. Il s'agit d'un simple rappel qui renvoie au plan suivi dans le guide pédagogique

Ensuite, toujours à la même place dans l'unité, on trouve la page consacrée à la **comptine.** Le texte de la comptine est enregistré par des voix d'enfants et proposé aussi à l'écrit. Selon les objectifs, on se servira ou non de ce texte écrit. Les enfants qui ont enregistré les comptines ont choisi le rythme et l'intonation qui leur plaisaient.

Pour chaque comptine, on propose un ou plusieurs sons à reconnaître, isoler, articuler, au travers d'activités et de jeux. On fait aussi travailler l'intonation et le rythme. On termine par des propositions d'animation du texte de la comptine.

Les **deux pages** suivantes offrent à nouveau des **activités** diverses d'écoute ou de production orale, de classement, etc.

La dernière page est celle d'**Arthur le kangourou**. Les enfants font la connaissance du kangourou qui a donné son titre à leur livre. Pourquoi un kangourou? Parmi de nombreux animaux (castor, pingouin, écureuil...), c'est celui qui a suscité le plus de sympathie chez les enfants qui ont été testés. Il joue donc le rôle de la mascotte, du compagnon de route qui cache toujours des secrets dans sa poche. La page présente les aventures d'Arthur, qui est parfois accompagné d'autres personnages, en particulier de Lucie la souris.

Cette page comporte quatre vignettes sous-titrées d'une légende. Les enfants peuvent écouter l'enregistrement et regarder en même temps le livre. Si le programme le prévoit, le texte écrit peut servir à des activités de lecture.

Dans cette page, l'enfant découvre, essentiellement à la troisième personne, les verbes et les actions qu'ils ont déjà rencontrés à d'autres formes au cours de l'unité;

Les exemples choisis l'encouragent aussi à employer une langue précise.

Les images seules sont reproduites en noir et blanc sur des **cartes** à jouer que l'on découvre au fil des unités. À chaque unité on sort quatre nouvelles cartes et on constitue ainsi peu à peu un jeu de 48 cartes qui servent de point de départ à des activités diverses : jeux de communication et jeux phonétiques.

Toutes les trois unités, on trouve un **Pouce**, un moment où l'on s'arrête pour reprendre son souffle et faire une pause avant de repartir.(On dit «pouce!» lorsqu'on veut arrêter une activité, se reposer quelques instants dans un jeu.) Ces pauses sont des haltes-révision qui réactivent les acquis de l'enfant et lui permettent de faire le point durant son parcours d'apprentissage.

La fonction de cette séquence est donc à la fois d'évaluer, de revoir, de rassurer. Sa structure est toujours la même :

– une page **«Que disent-ils ?»** qui reprend les vignettes de trois séquences extraites des B.D. des trois unités précédentes. Les enfants doivent retrouver des dialogues cohérents avec les dessins. Une grille d'évaluation permet de suivre leurs progrès. L'enregistrement de ces séquences sert à la vérification de la production orale.

– deux pages d'**activités de contrôle**, le plus souvent sous forme de jeux qui incitent à réinvestir lexique et réalisations linguistiques déjà connus.

– une page **«Que fait Arthur?»** qui reprend quatre images sans légendes extraites des trois unités précédentes. Elle fonctionne aussi avec le jeu de cartes et permet de vérifier le lexique et la compétence de communication. L'enregistrement permet le contrôle de la production.■

Récapitulatif du matériel de classe

• *une cassette, support de très nombreuses activités*

• *des figurines pour présenter le lexique et animer les activités communicatives*

• *un jeu de cartes à constituer au fil des unités pour provoquer les échanges dans la classe*

• *des affiches pour travailler avec la B.D.*

Avant de commencer l'étude du français, il est indispensable de **sensibiliser les enfants à cette nouvelle discipline** et de leur **faire découvrir le livre** qu'ils vont utiliser tout au long de l'année, ainsi que le matériel qui l'accompagne.

Le français, une nouvelle discipline

Suivant les situations :
– on pourra demander aux enfants, en langue maternelle, pourquoi ils ont choisi le français ou bien qui a choisi pour eux, ce qu'ils connaissent déjà en français ou au sujet de la civilisation francophone.
– on pourra faire établir une liste des mots et/ou des expressions connus des enfants en français parce qu'ils correspondent à des références touristiques, culturelles, historiques, culinaires…
– on pourra faire préparer des affiches (par collage ou dessin) sur des réalités liées, au français, qu'ils connaîtraient déjà (chansons, comptines, objets, produits alimentaires, monuments, mais aussi, peut-être, une réalité francophone plus proche d'eux, etc.).

KANGOUROU, la méthode de français.

KANGOUROU 1, c'est d'abord un **livre** que l'enfant gardera toute l'année et qui sera le support principal de toutes les activités. Il faut donc qu'il l'observe d'abord comme un objet et qu'il découvre son fonctionnement. Le titre **KANGOUROU** de la couverture est à mettre en relation avec l'illustration. Le kangourou qui salue de la main et invite à entrer dans le livre fait des bonds. Le cartable sur le dos, il saute allègrement et sème derrière lui plusieurs objets - crayon, biscuit, écouteurs et casquette - invitant à le suivre dans le livre.
On le retrouve tout de suite sur la deuxième page posant pour une «photo de famille» avec les autres personnages dont les enfants vont suivre les aventures. C'est l'occasion, enfin de familiariser les enfants avec le **matériel** qui accompagne le livre, de sortir les figurines des cinq personnages et de commencer à dire quelques mots en français.

En se servant des figurines, présenter au tableau de feutre, en langue maternelle ou en français, les principaux personnages du manuel : Sandrine, Julien, Éric, Arthur et Lucie.

P.   *Regardez ....*
       Voilà Sandrine / c'est Sandrine
       Voilà Julien / c'est Julien
       Voilà Arthur / c'est Arthur
       Voilà Lucie / c'est Lucie
       Voilà Éric / c'est Éric

Contrôler avec les figurines.

P.   *Maintenant, c'est à vous.*
       On essaye ?
       Qui est-ce ?

E.   *C'est Sandrine (...)*

Pour rendre facilement compréhensible cette première activité, présenter en français quelques enfants de la classe.

P.   *Voilà (prénom E.1) / c'est E.1*
        Voilà (prénom E.2) /c'est E.2
        Voilà (prénom E.3) /c'est E.3

Demander aux enfants de présenter eux aussi quelqu'un (personnage ou camarade de classe)

P.   *À toi, (prénom E.4)*

On peut continuer ensuite à feuilleter le livre. Les enfants s'apercevront alors qu'ils retrouveront fréquemment les personnages préalablement présentés. Ils découvriront également que les douze unités sont structurées de la même façon. Un va-et-vient entre la page d'ouverture de chaque unité, facilement identifiable avec un grand chiffre sur fond bleu, et les autres pages de l'unité leur permettront de distinguer dans chaque sommaire les rubriques fixes (la B.D., la comptine et Arthur le kangourou), indiquées par un titre blanc sur fond noir, et les pages d'activités, en lettres noires. Il ne s'agit pas de faire lire le texte des titres, mais de repérer l'organisation du livre à travers des mots déjà entendus (Sandrine, Julien, Arthur, Kangourou...).
On pourra faire remarquer aux enfants que des pauses sont proposées toutes les trois unités, pour faire le point et évaluer le chemin déjà parcouru ensemble. Ces **Pouce!** sont identifiés par un bandeau vertical rouge. Celui-ci se retrouve également à la fin de l'ouvrage pour mettre en évidence trois ensembles annexes :
– *j'apprends à écrire*
– *j'apprends l'alphabet*
– *j'apprends à compter*

On peut alors afficher dans la classe l'alphabet. Cette affiche servira régulièrement si on fait de l'écrit parallèlement à l'oral dès le début. Elle familiarisera les enfants avec la graphie du français si celle-ci est différente de celle de leur langue maternelle.

Enfin, en continuant à feuilleter rapidement le livre, on pourra demander aux enfants de s'arrêter sur une page qui leur plaît. Ce sera l'occasion, en comparant les choix, de découvrir la variété des illustrations, étape préliminaire à la découverte de la variété des activités qui leur correspondent.

On pourra terminer cette présentation en écoutant la chanson enregistrée au début de la cassette :

        « Arthur le kangourou et la souris Lucie
        sont de sacrés filous* mais de très bons amis.
        Laissez-vous entraîner dans la cour de récré**
        par Sandrine et Julien, Éric et leurs copains. »

On entend cette chanson avant chaque **Pouce!**
Les enfants ne comprendront pas le texte de la chanson, mais pourront déjà repérer les personnages qu'ils viennent de découvrir.■

---

*un filou : terme familier pour désigner un enfant malin, coquin, espiègle.
**la récré : abréviation employée par les enfants pour « récréation ».

ACTES DE PAROLE

■ Saluer
■ Demander à quelqu'un de faire quelque chose

■ Demander / donner des renseignements sur une personne ou un objet

RÉALISATIONS LINGUISTIQUES

■ Salut ...
■ Prends (un crayon ...)
  Dessine (la fusée ...)
  Découpe (les ronds ...)
  Colle (les ronds ...)
■ Qu'est-ce que c'est ? C'est / voilà (une fusée, un chat ...)
  Qu'est-ce que tu fais ?
  Qui est-ce ?
  Voilà ... / c'est ...

NOTIONS

■ Masculin / féminin
■ L'ordre

■ Le présent

GRAMMAIRE

■ Un / une / la
■ Les verbes *prendre, dessiner, découper* et *coller* à la 2e pers. sing. de l'impératif
■ Les verbes *prendre, dessiner, découper* et *coller* aux 3 pers. sing. du présent

LEXIQUE

■ Le matériel et les activités de la classe
■ Les nombres de 0 à 9

PHONÉTIQUE ET INTONATION

■ Première approche
  Travail sur l'articulation, le rythme et l'intonation

FIGURINES NOUVELLES

Sandrine, Julien, Arthur

Un ballon, un chat, des ciseaux, la colle, un crayon, une feuille de papier, une fusée, un kangourou, un livre, une poupée, une trousse, une voiture

1

5 à 12

Face A

Conseils pédagogiques

Conseils linguistiques

Pour commencer

Avant d'ouvrir le livre, on commence la leçon par des activités qui vont donner l'occasion de présenter quelques éléments lexicaux utiles à la compréhension du dialogue enregistré.

Sortir les figurines représentant Sandrine et Julien et demander aux enfants s'ils les reconnaissent.

P. *Regardez, vous la reconnaissez ?*
Qui est-ce ?
E. *C'est Sandrine.*
P. *Bravo!*
...

De la même façon, présenter quelques objets de la classe en utilisant la même structure : de la colle, une feuille de papier, des ciseaux, un livre, un ballon.

P. *Voilà la colle./c'est la colle*.*
C'est un crayon./voilà un crayon.
Voilà des ciseaux./c'est des ciseaux**.
C'est une feuille de papier....

Dessiner un rond au tableau et dire en même temps ce que c'est.

P. *Voilà un rond. C'est un rond.*

Mimer ensuite «dessiner, découper, coller, colorier».

P. *Regardez, je dessine.*
Je colle/Je colorie./Je découpe.

Jouer au jeu des mimes

Les enfants doivent mimer ce qui leur est demandé.

P. *À toi, (E.1). Découpe (colle, colorie...)*

On peut ensuite demander à un enfant de prendre la place de l'enseignant et de donner les ordres. Les enfants peuvent aussi jouer à deux et se donner des ordres à tour de rôle.

P. *À vous, allez-y.*
E. *(E.2), découpe...*

Compter sur ses doigts de un à neuf.

Répéter les nombres de zéro à neuf et écrire les chiffres au tableau.

P. *Écoutez : je compte. Un, deux, trois, quatre, cinq, six, sept, huit, neuf.*

Une fois ces éléments présentés, on peut ouvrir le livre à la première page de l'unité 1. On peut leur demander de regarder le dessin et leur donner en français le mot «fusée».

P. *Regardez, c'est une fusée.*

(* C'est le tube ou le pot de colle, le contenant. Pour parler du contenu, on dirait «c'est de la colle».)
(** Cette forme est acceptable à l'oral, même si la forme correcte serait «ce sont des ciseaux».)

3... 2... 1... PARTEZ

Expliquer en langue maternelle à quoi sert la bande dessinée (B.D.). Les dessins permettent de comprendre globalement l'aventure de Sandrine et Julien. Il ne faudra donc pas chercher une équivalence exacte entre les dessins et les phrases du dialogue. C'est plutôt le cadre de l'aventure qui est représenté.

Faire observer qu'il n'y a pas de «bulles», que les paroles prononcées par les personnages ne sont pas écrites. Il s'agit en effet d'un exercice d'entraînement à l'écoute et non un exercice de lecture.

Faire observer les dessins. Laisser aux enfants le temps de regarder et de repérer les éléments qui sont dessinés plusieurs fois et qui constituent le cœur du récit.

Chaque enfant va sans doute imaginer ce qui peut se passer, faire des hypothèses sur l'aventure représentée.

L'enregistrement commence par une musique d'ambiance qui a plusieurs fonctions. Elle donne le signal de l'écoute et laisse le temps aux enfants de se préparer à être attentifs au document sonore qui suit. Mais elle annonce aussi le dialogue en créant une atmosphère (ici, le lancement d'une fusée et le compte à rebours qui l'accompagne). Dans cette unité, la musique est l'illustration sonore qui fait le lien entre le dessin de la page d'ouverture et le thème de la B.D.

Le thème a été choisi à la fois pour sa dimension symbolique (c'est le lancement de l'apprentissage du français) et ludique (la fusée est un élément important de l'imaginaire enfantin).

Le dialogue introduit l'impératif, forme dont les enfants ont besoin dans la classe, aussi bien en compréhension qu'en production. En compréhension, dans la mesure où ils ont souvent à réagir et à répondre à des ordres donnés par l'enseignant ; en production, car dans de nombreuses activités, on leur demande de prendre l'initiative.

Passer à l'écoute

P. *Écoutez bien*

3... 2... 1... PARTEZ

JULIEN	Salut, Sandrine, qu'est-ce que c'est ?
SANDRINE	C'est une fusée.
JULIEN	Comment tu fais ?
SANDRINE	Regarde, Julien, c'est facile... prends un crayon... dessine la fusée...
JULIEN	Voilà !
SANDRINE	Maintenant prends les ciseaux, découpe les ronds... colle les ronds sur la fusée... voilà, c'est fini !
S & J	3... 2... 1... Partez...

Une seule écoute ne sera pas suffisante, mais on peut demander en langue maternelle de «raconter» ce qui s'est passé. Veiller à ce que les enfants ne traduisent pas mot à mot, mais leur demander d'essayer plutôt de donner en langue maternelle des détails ou des interprétations.

On pourra rendre les élèves plus attentifs à un certain nombre d'éléments qui leur seront utiles ensuite, chaque fois qu'ils auront à écouter un document sonore : combien de personnes parlent ? Qui parle ? Que fait chacun des enfants ? Comme il s'agit de la première écoute en français, toutes ces questions seront posées en langue maternelle, très rapidement elles le seront en français.
À ce stade de mise en commun des hypothèses par les enfants, il est utile de travailler avec l'affiche qui reproduit la B.D. Il sera ainsi plus facile à l'enseignant ou aux enfants de montrer les éléments de l'image qui confirment leur interprétation.

On pourra mettre en opposition les différentes versions des élèves et passer à une ou plusieurs écoutes supplémentaires.

On construit une fusée

RÉÉCOUTE . CONTRÔLE DE LA COMPRÉHENSION ORALE

Lorsque tous les enfants ont pu écouter à leur rythme et plusieurs fois l'enregistrement, on peut passer aux activités de la page de contrôle. Cette page se trouve toujours en face de la B.D. mais elle est conçue de telle manière qu'il est impossible de faire l'exercice proposé à partir des seules illustrations.
Faire retrouver les éléments déjà présentés et connus : crayon, ciseaux, fusée, dessiner, découper.
À la suite des écoutes successives, faire retrouver la chronologie des actions en les numérotant de 1 à 5.

P. *Attention, encore une fois.*
Écoutez.

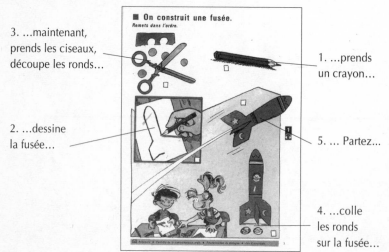

3. ...maintenant, prends les ciseaux, découpe les ronds...

1. ...prends un crayon...

2. ...dessine la fusée...

5. ... Partez...

4. ...colle les ronds sur la fusée...

Utiliser l'affiche pour corriger ensemble. Si nécessaire, dessiner la page au tableau pour une correction collective. On peut aussi agrandir les dessins ou travailler sur transparent.

Il est préférable de se limiter à une production orale très simple. Le passage à la 3ᵉ personne (il colle, il découpe...) est abordé à la fin de l'unité avec la page «Arthur le kangourou».

RECONSTITUTION DU DIALOGUE

Procéder ensuite à la reconstitution du dialogue. Les enfants devront retrouver les phrases dites par Sandrine et Julien. Cette phase est très importante pour arriver progressivement à une bonne articulation du français et à la maîtrise de l'intonation.

Il faudra donc que les enfants fassent «comme Sandrine» ou «comme Julien».

Il est aussi important d'utiliser la cassette au mieux, c'est-à-dire faire écouter autant de fois qu'il est nécessaire le passage du dialogue et non pas lire soi-même la ou les répliques.

C'est la cassette en effet qui présente des voix différentes et qui va aider à une construction progressive d'une compétence de communication.

JEU DRAMATIQUE

Il prend comme point de départ le dialogue enregistré. Dès cette première unité, les variantes sont bien sûr peu nombreuses. Les enfants peuvent cependant décider de s'appeler par leur propre prénom, ou choisir de dessiner un autre objet. On formera donc des groupes de deux élèves qui, après s'être préparés, viendront se produire devant la classe.

Les objets cachés

Cette page propose une activité de coloriage familière aux enfants. En coloriant toutes les cases portant un même numéro, on fait apparaître un objet.

Faire compter à nouveau de 0 à 9 et demander à un enfant d'écrire les chiffres au tableau.

On peut également demander aux enfants de les écrire dans le désordre.

P. *Regardez! Voilà le n° 1, c'est là... et le n° 2...*

P. *Alors, que dit Sandrine ?*
C'est juste?
Écoute encore une fois
Voilà!
Bravo!

P. *Vous allez faire comme Sandrine et Julien.*
E.1 *(E.2)., qu'est-ce que c'est ?*
E.2 *C'est un ballon.*
E.2 *Regarde, c'est facile... prends un crayon... dessine un ballon.*
E.1 *Voilà.*
E.2 *Maintenant, prends les ciseaux, ...*

PAGE 8

P. *(E.1), viens au tableau. Tu écris/Écris 0... 1... 2...*

P. *(E.2), écris 8... 1... 4... 0...*

Demander aux enfants de colorier sur la page 8 avec des crayons de couleurs différents les cases 1, 2, 3, 4. Ils feront ainsi apparaître un tube de colle (1), des ciseaux (2), une fusée (3), un crayon (4).

Corriger ensemble et donner le premier exemple.

Demander à un enfant d'afficher au tableau de feutre les figurines correspondantes.

P. *Coloriez tous les n°1, tous les n°2, tous les n°3, tous les n°4.*

P. *Le n°3, qu'est-ce que c'est?*
E.1 *C'est la fusée.*
P. *À toi! Le n°4 qu'est-ce que c'est ?*
E.2 *C'est un crayon. (...)*

P. *Viens, prends la fusée et mets-la au tableau*

Partez...

De nombreux sons (phonèmes) typiques du français se retrouvent dans cette comptine. Le travail proposé pour cette unité est essentiellement un travail de familiarisation avec les différentes caractéristiques du français oral. On fera travailler les élèves essentiellement sur le rythme et l'intonation.

L'ÉCOUTE

nœf
yit
sɛt
sis
sɛ̃k
katr
trwa
dø
œ̃
zero
parte vɛr
lɛ̃fini

Faire écouter l'enregistrement et faire reconstituer le texte complet à la suite d'écoutes successives

P. *Écoutez, répétez (encore une fois)*
Je dis toute la comptine
Qui veut dire toute la comptine?
Qui veut faire comme moi ?

LE RYTHME

Les «vers» de la comptine se composent d'un seul «mot» ou groupe de souffle. Il est donc très facile de faire retrouver le rythme, donné par l'accent de chaque vers qui tombe sur le dernier phonème vocalique du mot.

On pourra demander aux enfants de taper des mains ou des pieds en travaillant d'abord avec la cassette.

```
┌ ─ ─ ─ ─ ─ ─ ─ ─ ┐
  /Partez.../
│                 │

│ /Neuf/          │
  /Huit/
│ /Sept/          │
  /Six/
│ /Cinq/          │
  /Quatre/
│ /Trois/         │
  /Deux/
│ /Un/            │
  /Zéro/
│                 │
  /Partez vers/
│ /L'INFINI!/     │
└ ─ ─ ─ ─ ─ ─ ─ ┘
```

L'INTONATION

En récitant la comptine, les élèves pourront retrouver l'intonation correcte en travaillant à deux.
En face à face, les paumes contre les paumes du coéquipier, ils devront balancer d'avant en arrière les bras en suivant l'intonation de la récitation et en respectant les pauses et l'expressivité à imiter d'après l'enregistrement. Ils pourront aussi former une ronde, se donner la main et indiquer tous ensemble qu'ils ont retrouvé la bonne intonation en balançant les bras selon la courbe mélodique de la phrase.

On peut demander aux enfants d'illustrer la comptine, par exemple avec de gros chiffres de couleur. Le tableau de la page 128 de leur livre les aidera à faire le lien entre la graphie en chiffres et en lettres.

On peut également leur demander de la mimer, par exemple en constituant un groupe de neuf dont les enfants partiront un à un. Chaque départ sera ponctué par le chiffre correspondant au nombre d'enfants qui restent. On peut également mimer uniquement en comptant avec les doigts des deux mains qu'on replie l'un après l'autre.

La comptine doit servir également à «compter» réellement puisque sa fonction première est de désigner quelqu'un pour faire quelque chose, par exemple celle ou celui qui doit faire une activité ou qui doit jouer le rôle du meneur de jeu. Dans ce cas, celui qui «compte» dit la comptine en marquant les syllabes. Celui qui tombe sur la dernière syllabe est désigné. On pourra donc réutiliser ainsi régulièrement les comptines les plus simples.

Partez...

Neuf

Huit

Sept

Six

Cinq

Quatre

Trois

Deux

Un

Zéro

Partez vers

L'INFINI

P. ou E. neuf, huit, sept, six, cinq, quatre, trois, deux, un, zéro, prends un crayon!

Qu'est-ce que c'est ?

La page représente une rue dans laquelle des bruits se produisent. Les enfants, en écoutant la cassette, vont reconnaître l'origine de ces bruits même s'ils ne savent pas l'expliquer en français.

Cette activité doit justement suggérer aux enfants qu'on peut comprendre des choses avant de savoir les dire dans une langue étrangère.

ÉCOUTE . ACTIVITÉ DE CONTRÔLE DE LA COMPRÉHENSION ORALE

Faire écouter et faire écrire les numéros même si les élèves ne connaissent pas le nom de tous les objets.

P. *Écoutez et écrivez le bon numéro.*

> QU'EST-CE QUE C'EST?
>
> 1. (Une voiture qui démarre)
> 2. (Un ballon qui rebondit)
> 3. (Une vitre cassée)
> 4. (Un chat qui miaule)
> 5. (Des ciseaux coupant une feuille de papier)
> 6. (Une fusée qui part)

Corriger ensemble en commençant par un élément connu. Attention! Le ballon n'est dessiné qu'une fois, même s'il «agit» deux fois : il rebondit d'abord sur le trottoir (2) et casse ensuite la vitre (3).

P. *Le n° 6, qu'est-ce que c'est?*
E. *C'est une fusée.*
P. *Et le 2, qu'est-ce que c'est ?*
E. *C'est un ballon.*

PRÉSENTATION DU LEXIQUE

Faire retrouver d'abord les objets connus et profiter de la correction pour introduire les mots nouveaux et présenter les figurines correspondantes : «chat», «voiture», pour «vitre» indiquer la fenêtre de la salle de classe. «Papier», «ciseaux» et «fusée» sont déjà connus.

Premiers mots

PRÉSENTATION DU LEXIQUE

Les activités proposées sur cette page, qui reprend un certain nombre d'éléments déjà connus, devraient rendre les enfants sensibles à la marque du genre en français. Le premier exercice de classement (un/une) ne constitue qu'une sensibilisation. C'est la raison pour laquelle aucun métalangage n'est utilisé : on ne parle ni d'article, ni de genre (masculin ou féminin). Selon la manière dont l'observation de la langue maternelle est menée, l'enseignant jugera de ce qu'il peut faire en français.

Afficher au tableau de feutre les figurines suivantes : poupée, livre, trousse, feuille de papier, crayon, fusée, ballon, kangourou et voiture.

Demander aux enfants de choisir, parmi toutes les figurines affichées, celles qu'ils connaissent déjà.

Présenter ensuite les figurines inconnues

Organiser un jeu de kim.
Si ce jeu n'est pas connu, expliquer en langue maternelle les règles. On fait observer aux enfants un ensemble d'objets (ici, des figurines). On demande aux élèves de fermer les yeux, on change les objets de place et on en retire un ou deux. Les enfants rouvrent les yeux et doivent deviner le ou les objets qui ont disparu.

Enlever un élément et demander ce qui manque.

Bien utiliser l'article indéfini «un» et «une» pour marquer le genre et pour permettre la réalisation de l'exercice.
On peut, si on le souhaite, écrire les deux articles sur une étiquette et faire classer les figurines en deux groupes.

Les enfants sont prêts pour faire le même type d'exercice mais individuellement et à partir d'un document enregistré.

ÉCOUTE

Faire écouter deux fois au moins et faire écrire les numéros. Corriger ensemble.

P.	*Qu'est-ce que c'est?*
E.	*C'est une fusée.*
	(...)
P.	*Voilà un kangourou.*
	C'est une poupée.
	C'est une trousse.
	Voilà un cahier.
P.	*Regardez bien.*
	Maintenant, fermez les yeux.
P.	*Alors, qu'est-ce qui manque ?*
P.	*Voilà un kangourou, un ballon...*
	Et là, une poupée, une fusée...
P.	*Écoutez et écrivez les numéros.*
	(...)
P.	*Le n°1, qu'est-ce que c'est ?*
E.1	*Un ballon.*
P.	*C'est vrai ou c'est faux ?*
E.2.	*C'est faux, c'est une voiture.*

PREMIERS MOTS

1. une voiture
2. un ballon
3. un kangourou
4. une fusée
5. une trousse
6. un crayon
7. un livre
8. une poupée
9. une feuille de papier

Demander ensuite de classer. Un exemple est donné dans l'illustration.

Corriger ensemble au tableau de feutre.
pour «un» : 2, 3, 6, 7
pour «une» : 1, 4, 5, 8, 9

Pour faire reprendre ce travail par l'ensemble de la classe, on peut faire le jeu de la chaîne. Former des binômes. Chaque binôme jouera devant la classe. À tour de rôle, les deux élèves se donneront des ordres en utilisant les figurines.
Un deuxième binôme prendra la place du premier et ainsi de suite jusqu'à ce que tous les élèves aient pris la parole.

P.	*Regardez : je mets/j'écris le n°2 dans la valise avec «un» et mets le n°2 dans la valise avec «une».*
E.1	*Prends une poupée.*
E.2	*Voilà!*
E.1	*Bravo, à toi.*
E.2	*Prends un ballon.*
E.1	*Voilà!*
E.2	*C'est faux, c'est un livre...*

Arthur le kangourou

PAGE **12**

«Arthur le kangourou» permet de découvrir à la troisième personne les actions que les enfants ont pratiquées à l'impératif (colle/collez, découpe/découpez, colorie/coloriez, dessine/dessinez), ou à la première personne (je colle...)
Les enfants peuvent écouter l'enregistrement sur cassette et regarder en même temps le livre.
Il ne s'agit pas pour l'enfant de lire au sens propre les légendes des images. Cependant, si votre programme prévoit une introduction en parallèle de l'oral et de l'écrit, le texte écrit servira à des activités de lecture (voir les réflexions méthodologiques).

En se servant des cartes «Arthur», on passe ensuite au jeu «que fait Arthur ?». On sort pour la première fois les «cartes Arthur». On peut expliquer aux enfants qu'à chaque unité, on sortira quatre cartes et qu'on constituera ainsi à la fin du livre un jeu de 48 cartes.
À tour de rôle, un enfant tire une carte et pose la question à un autre enfant. Celui-ci doit lui répondre.

Le second tire à son tour une autre carte.
(...)

P.	*Voilà notre ami Arthur. Regardez et écoutez.*
E.1	*Que fait Arthur ?*
E.2	*Il dessine.*
E.2	*Que fait Arthur ?*
E.3	*Il colle.*

Si vous souhaitez aborder l'écrit dès la première unité, vous trouverez un exercice page 118 du livre de l'élève et sa correction à la fin du guide pédagogique.

ACTES DE PAROLE

- Saluer
- Présenter quelqu'un / se présenter

- Demander / donner des renseignements sur l'âge
- Demander à quelqu'un de faire quelque chose

RÉALISATIONS LINGUISTIQUES

- Bonjour / bonjour ...
- Voici ...
  Comment tu t'appelles / je m'appelle ...
- Quel âge as-tu ?

- Viens jouer avec nous

NOTIONS

- Masculin / féminin
- La quantité

- Le présent

GRAMMAIRE

- Un / une
- Combien de ...
  Les nombres de 0 à 10
- Les verbes *jouer*, *lire* et *faire* aux 3 pers. sing. du présent

LEXIQUE

- Le matériel de classe
- Les enfants
- L'alphabet
- Les nombres de 0 à 10

PHONÉTIQUE ET INTONATION

- [$\tilde{\alpha}$], [$\tilde{\mathfrak{I}}$] et [$\tilde{\varepsilon}$]

2

13 à 20

Face A

FIGURINES NOUVELLES

Le présentateur

Un arbre, un avion, une bicyclette, un cahier, un cartable, une cerise, un chien, une fille, un garçon, une montre, une planche à roulettes, une pomme, une poule, un pull

Conseils pédagogiques

Pour commencer

Pour comprendre le dialogue de la B.D., les enfants ont besoin de savoir repérer deux réalisations linguistiques :
– «Comment tu t'appelles ? Je m'appelle…»
– «Quel âge as-tu / tu as ? J'ai … ans.»

L'enseignant peut d'abord se présenter en français.

Poser ensuite la question à un enfant et lui suggérer éventuellement la réponse courte, par le seul prénom.

Reprendre ensuite.

Continuer le jeu avec deux ou trois enfants pour contrôler la compréhension de la question. Ensuite, demander aux enfants de faire le jeu de la chaîne et de poser la question au voisin.

Pour l'âge retravailler les nombres de 1 à 9, les écrire ou les faire écrire au tableau. L'enseignant écrit ensuite en chiffres son âge au tableau.

Poser ensuite la question.

Aider l'enfant à répondre
Reprendre ensuite.

Continuer le jeu avec deux ou trois enfants. Ensuite, demander aux enfants de faire la chaîne.

À vous de jouer

Sortir les figurines de Sandrine et de Julien et celle du présentateur.
Comme l'indiquent les illustrations qui entourent le titre (Julien et Sandrine dans un écran de télévision), la situation est celle de l'enregistrement d'un jeu télévisé qu'on a choisi d'appeler «Le grand Quizz».

La musique qui introduit l'enregistrement ressemble à un indicatif de jeu télévisé. Le présentateur est immédiatement reconnaissable à sa voix exagérément enjouée et chaleureuse. Des applaudissements et, à la fin, des cris enthousiastes ponctuent le dialogue.

Conseils linguistiques

P. je m'appelle…

P. Comment tu t'appelles ?
E. (prénom)
P. Oui, c'est vrai. (E.1) dit «Je m'appelle (E.1)»

P. Tu continues, (E.2)

P. Je m'appelle… , j'ai … ans.

P. Et toi (E.1), tu as 8 ans, 9 ans ? Alors, quel âge as-tu ?
E.1 8 ans.
P. Oui, c'est vrai. (E.1) dit «J'ai 8 ans».
P. Continue, (E.3)
(…)

PAGE

P. Alors, vous reconnaissez Sandrine et Julien ?
Où sont-ils ? À la télévision / À la télé ?
Écoutez bien.

PRÉSENTATEUR	Bonjour les enfants... bienvenue à notre jeu du Grand Quizz ! Voici Sandrine ! Bonjour, Sandrine.
SANDRINE	Bonjour.
PRÉSENTATEUR	Quel âge as-tu ?
SANDRINE	J'ai 8 ans.
PRÉSENTATEUR	Et toi, comment t'appelles-tu ?
JULIEN	Je m'appelle Julien.
PRÉSENTATEUR	Quel âge as-tu ?
JULIEN	9 ans.
PRÉSENTATEUR	Viens jouer avec nous, et toi aussi Sandrine !

Faire écouter le dialogue et faire retrouver les personnes qui parlent : Sandrine, Julien, le présentateur et les enfants qui forment le public de l'émission.

Deuxième écoute. Demander aux enfants de faire des hypothèses, en langue maternelle, sur la situation. On peut se servir de l'affiche pour confirmer ou non ces hypothèses. Faire repérer les mots connus.

P.	Qui parlent ?
E.	Sandrine et Julien.
P.	Il y a aussi un monsieur, c'est le présentateur.
P.	Vous avez compris ce qu'ils disent ? (...) Quel âge a Julien ?
E.1	9 ans.
P.	Et Sandrine ?
E.2	9 ans.
P.	Sandrine a 9 ans aussi ?
E.3	Non, 8 ans

À la télé

RÉÉCOUTE . CONTRÔLE DE LA COMPRÉHENSION ORALE

Faire écouter deux ou trois fois au moins. Les enfants doivent retrouver l'ordre dans lequel les différents personnages prennent la parole.

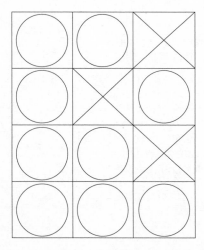

P.	Nous allons réécouter plusieurs fois.
P.	Vous avez bien écouté. Qui parle ? Entourez le bon numéro .
	(«Bonjour, les enfants... bienvenue à notre jeu du Grand Quizz. Voici Sandrine ! Bonjour, Sandrine.»)
P.	Qui parle là ? C'est le présentateur. Alors vous entourez le n°1
	(«Bonjour »)
P.	Et maintenant, qui parle ?
E.	Sandrine.

Pour faciliter le travail, on peut faire écouter l'enregistrement par morceaux, en arrêtant la cassette après chaque réplique.

Les enfants doivent entourer le chiffre correspondant à la personne qui vient de parler. Si les élèves ont des difficultés, faire avec eux les trois premières répliques.

Contrôler ensemble. Reproduire au tableau la grille schématisant l'illustration de la page et barrer les images fausses.

RECONSTITUTION DU DIALOGUE

Procéder comme dans la première unité.
Repasser la cassette autant de fois que nécessaire.
Les enfants pourront s'aider de la grille qu'on vient de corriger pour respecter la chronologie des répliques.

ACTIVITÉ DE PRODUCTION ORALE

Les enfants vont réutiliser essentiellement les deux actes de parole découverts dans le dialogue : demander et dire son nom et son âge.

En langue maternelle, demander aux enfants de former des groupes de trois (deux concurrents + le présentateur), d'attribuer une identité et un âge aux concurrents et de passer au jeu dramatique.
À partir de cette unité, les enfants peuvent déjà introduire des changements dans le dialogue qu'ils viennent de reconstituer. Ces variantes permettent de vérifier s'ils savent se servir de façon créative et adéquate des éléments linguistiques contenus dans le dialogue.

ACTIVITÉ DE PRODUCTION ORALE

Cette activité correspond à la deuxième partie de la page «joue au présentateur».
La frise de personnages représente des enfants, dont certains sont «anonymes» afin que les élèves puissent prendre leur place et s'identifier à eux.

Pour jouer au jeu du présentateur, les enfants devront poser les questions ou donner des réponses sur le nom et sur l'âge, chacun leur tour. On peut, là aussi, et si les enfants le souhaitent, choisir des prénoms français et faire varier l'âge en écrivant ou en faisant écrire les chiffres correspondants au tableau.

P. Alors vous entourez le n° 2.

(«Quel âge as-tu ?»)

P. Et maintenant ? (...). Ce n'est pas Julien ? Ce n'est donc pas le n° 3. C'est le présentateur, le n° ... 4. Vous avez compris ? Continuez (...)

P. Qui veut venir corriger au tableau ? Tu viens (E.) ?

P. Alors, que dit le présentateur ? C'est difficile! On réécoute encore!

P. À vous de jouer. Formez des groupes de trois.
(E.1) est le présentateur, (E.2) et (E3), vous êtes les enfants. Vous jouez à la télé. Vous pouvez choisir un autre nom et un autre âge. Par exemple, dans le jeu, toi, (E2), tu t'appelles ... et tu as 10 ans, et toi (E3)...

P. À vous! Nous aussi, nous sommes à la télévision. Vous devez vous présenter l'un après l'autre.
E.1 Comment t'appelles-tu ?
E.2 ...
E.1 Quel âge as-tu ?
(...)

C'est une poupée

PRÉSENTATION DU LEXIQUE

Travailler d'abord au tableau de feutre.
Présenter les figurines : ❶ une trousse ❷ un cahier ❸ une poupée ❹ un cartable ❺ une planche à roulettes ❻ un ballon ❼ une bicyclette ❽ un livre ❾ un pull ❿ une montre

Poser des questions pour contrôler l'acquisition des mots nouveaux et la bonne articulation des sons.
Bien insister sur la présence de l'article indéfini «un / une» pour permettre une première classification mentale en masculin et féminin.

Faire jouer, si nécessaire, au jeu de Kim.

P. Qu'est-ce que c'est ?
E. C'est une poupée
(...)

ACTIVITÉ DE CLASSEMENT

Passer ensuite à l'activité de classification masculin / féminin. Donner le premier exemple. Corriger ensemble au tableau de feutre
Un : 2, 4, 6, 8, 9
Une : 1, 3, 5, 7, 10

P. Regardez bien. Maintenant, fermez les yeux (...)
Ouvrez les yeux. Qu'est-ce qui manque ? (...)

P. Regardez, j'écris le n° 6, «un ballon», dans le sac «UN» et le n° 3, «une poupée», dans le sac «UNE».
(E) viens au tableau. Qu'est-ce que c'est ?
E. Une bicyclette.
P. Mets-la dans le bon sac. Très bien!
(...)

Pour jouer

LES SONS [ã], [ɔ̃] ET [ɛ̃]

La comptine donne l'occasion de travailler ces trois sons.

Proposer des mots, dont les figurines correspondantes existent dans le jeu complet, présentant les sons à faire travailler. Attention! les sons accentués, donc placés à la fin d'un mot, et les sons en début de mot sont plus faciles à discriminer.
Si un mot comporte plus d'un phonème traité, on devra le faire classer dans tous les ensembles qui conviennent.

Travailler avec ces figurines au tableau de feutre, seul ou en opposition selon les problèmes des élèves.
On peut, bien sûr, ne retenir qu'un nombre limité de figurines.

P. Voilà, je sors des figurines. Vous connaissez certains mots déjà. Lesquels ? Je vais vous dire les autres. Pourquoi est-ce que je les classe comme ça ? (...)

33

[α̃]	[ɔ̃]	[ɛ̃]
éléphant	avion	chien
lampe	bonbon	Julien
gants	ballon	instituteur
viande	citron	imperméable
kangourou	crayon	pain
pantalon	confiture	
Sandrine	lion	
sandales	pont	
Planche à roulettes	pantalon	

Pour prononcer correctement le son nasal [α̃], il faut placer la langue en arrière, comme pour prononcer «âge» et baisser légèrement le menton.
Faire passer un peu d'air par le nez pour obtenir la nasalisation.
Pour obtenir l'articulation correcte de ce son de la part des enfants, leur suggérer de le prononcer en restant très relaxés, en imaginant qu'il vient du milieu de leur corps, juste au-dessus de leur ventre et qu'il ne faudra pas oublier de faire passer un peu d'air par le nez, comme quand on est enrhumé.

Pour prononcer correctement le son nasal [ɔ̃], partir du son [o] comme dans «chapeau», faire avancer légèrement les lèvres, relever un peu le menton et faire passer un peu d'air par le nez pour obtenir la nasalisation.
Pour obtenir l'articulation correcte de ce son de la part des enfants, leur rappeler que ce son vient de leur ventre, et qu'ils pourront y poser légèrement leurs mains.

Pour prononcer correctement le son nasal [ɛ̃] il faut partir du son [e] de «éléphant» Ensuite il faut baisser légèrement le menton et faire passer un peu d'air par le nez pour obtenir la nasalisation, tout en gardant les lèvres légèrement écartées.
Pour obtenir l'articulation correcte de ce son de la part des enfants, les aider à garder les lèvres écartées quand ils font passer de l'air en leur demandant d'imaginer qu'ils volent comme des petits oiseaux.

LA DISCRIMINATION

Pour aider les enfants à bien «discriminer», c'est-à-dire à reconnaître les différents sons, on pourra jouer à «Pigeon vole».
Après avoir choisi et dit le phonème sur lequel on veut travailler, par exemple [α̃], on donnera un ou deux exemples accompagnés des figurines.

Ensuite, l'enseignant devra dire un mot après l'autre, en mélangeant aux mots comportant le son retenu, d'autres

P.	Écoutez bien. On travaille le son [α̃]. Je dis «gant»
E.	(...)
P.	Oui! Maintenant, je dis «lampe»
E.	(...)
P.	Oui! Attention! «crayon»
E.	(...)
P.	Non! Vous avez raison, il n'y a pas le son [α̃] dans le mot «crayon»...

mots qui ne le comportent pas ou qui comportent une autre nasale.

Les enfants, qui devront travailler les yeux fermés pour ne pas imiter les copains, devront lever la main (= faire voler le pigeon) seulement quand le mot prononcé contient le son retenu.

L'ÉCOUTE

Faire écouter la comptine.
Les enfants pourront suivre les nombres écrits dans la comptine sur l'illustration de leur livre.

Faire écouter l'enregistrement et faire reconstituer le texte complet à la suite d'écoutes successives.

Écrire les nombres au tableau.
Donner les ordres pour former la ronde et demander de les mimer.

Faire dire la dernière phrase tous ensemble.

L'ARTICULATION

Pour bien faire articuler les phonèmes nasaux proposés par cette comptine, on pourra prévoir des jeux de classification : «jeu du corbillon», «jeu du train» ou «jeu du kangourou».

Le jeu du corbillon
Le jeu du corbillon permet de faire classer des sons différents, en opposition, dans des ensembles (des «corbillons») différents.
Bien préciser quels sont les sons retenus.
On peut placer au-dessus de chaque liste à afficher au tableau de feutre une figurine que les enfants connaissent déjà comportant le son en question, par exemple «kangourou» pour le son $[\tilde{\alpha}]$, «ballon» pour le son $[\tilde{\mathfrak{z}}]$ et le «Julien» pour le son $[\tilde{\varepsilon}]$.
Les enfants devront classer toutes les figurines proposées dans le corbillon imaginaire qui convient et dire à voix haute les noms des différentes figurines.
Ne pas oublier d'ajouter quelques distracteurs.

Le jeu du train
On établit les sons sur lesquels il faut travailler.
On indiquera aussi où se trouve la «gare» vers où va le train des $[\tilde{\varepsilon}]$ par exemple, en plaçant une figurine comportant ce son dans un coin du tableau de feutre.
Former des équipes.
Chaque équipe devra former le plus rapidement possible le train des $[\tilde{\varepsilon}]$ par exemple et articuler correctement tous

P.   Écoutez bien!

P.   Mettez-vous en rond
           Donnez-vous la main
           Comptez pour de bon

Es   Salut les copains!

les noms des figurines dont les élèves se souviennent.

On peut également choisir à tour de rôle un élève qui jouera au nom de toute l'équipe contre un élève de l'autre équipe.

Le jeu du kangourou

Former deux équipes.

L'enseignant place au tableau de feutre une série de figurines comportant le son à travailler ainsi que quelques distracteurs.

Il dira à voix haute un mot comportant ce son.

Le premier joueur de chaque équipe devra dire «kangourou» s'il connaît et sait dire le nom d'une autre figurine comportant ce son.

Il marquera alors un point pour son équipe.

On alterne les joueurs.

LE RYTHME

Faire retrouver le rythme à partir des groupes de souffle.

```
┌ ─ ─ ─ ─ ─ ─ ─ ─ ─ ─ ─ ─ ─ ┐
│         POUR JOUER...       │
│                             │
│  /Pour jouer en classe/     │
│  /Mettez-vous en rond/      │
│  /Donnez-vous la main/      │
│  /Comptez pour de bon/      │
│  /un/      /deux/   /trois/ │
│  /quatre/  /cinq/   /six/   │
│  /sept/    /huit/   /neuf/  │
│  /dix/     /Salut les copains! / │
└ ─ ─ ─ ─ ─ ─ ─ ─ ─ ─ ─ ─ ─ ┘
```

L'INTONATION

Faire former une ronde comme sur l'illustration. Les enfants indiqueront l'intonation en balançant les bras selon la courbe mélodique de la phrase.

Pour jouer en classe

Mettez-vous en rond

Donnez-vous la main

Comptez pour de bon

un	deux	trois
quatre	cinq	six
sept	huit	neuf
dix	Salut les copains !	

Je sais compter

Cette page va permettre de travailler sur les chiffres de un à dix.

PRÉSENTATION DU LEXIQUE

Travailler d'abord avec les figurines pour la présentation des éléments nouveaux. : avion, arbre, cerise, fille, garçon, poule, chien.
Vérifier que les mots soient compris et connus en faisant jouer au «jeu du professeur» : un enfant montre des figurines et interroge quelques camarades de classe.

ÉCOUTE . ACTIVITÉ DE CONTRÔLE DE LA COMPRÉHENSION ORALE

Passer ensuite à la première écoute et demander aux enfants d'écrire à la bonne place les chiffres qu'ils entendent.

P. (E.1), viens et prends ma place.
Choisis un camarade.
Pose une question.

E.1 (E.2), qu'est-ce que c'est ?

E.2 Une poule.
(...)

JE SAIS COMPTER

une bicyclette
deux ballons
dix cerises
neuf pommes
trois poupées
quatre avions
cinq kangourous
sept chiens
six arbres
huit poules

Un exemple est donné. Arrêter cette première écoute à «sept chiens».

P. Combien y a-t-il de chiens ?
Vous avez entendu, il y a sept chiens.
Alors vous écrivez «7» dans la case où il y a sept chiens. D'accord ? On continue.

Procéder par écoutes successives.
Corriger ensemble.
On peut écrire les chiffres
au tableau dans l'ordre de la page.

5		1
2	6	4
10	7	3
8		9

On peut aussi reprendre les figurines.

ACTIVITÉ DE PRODUCTION ORALE

Former des binômes. Dans chaque binôme, distribuer une figurine.
Les enfants se posent des questions pour retrouver le nom de la figurine et le nombre d'éléments présents dans le dessin, comme ils viennent de le faire.

Un enfant peut également choisir une figurine et indiquer à un camarade un nombre avec ses doigts.

Quel âge as-tu ?

PRÉSENTATION DU LEXIQUE

Écrire au tableau les lettres de l'alphabet :
A, B, C, D, E, F, G, H, I, J

On peut profiter de l'occasion pour faire retrouver, dans les consignes écrites des pages précédentes ou sur l'affiche «Alphabet», les lettres présentées.
On peut aussi se servir des pages 124 à 127 du livre de l'élève.

ÉCOUTE . ACTIVITÉ DE CONTRÔLE

Faire écouter.

La page présente dix illustrations d'enfants d'âge différent. L'âge de chacun est indiqué par un chiffre dans l'illustration. Dans l'enregistrement, chaque enfant est «prénommé» par une lettre.
Les élèves doivent repérer âge et «prénom» sur l'enregistrement et inscrire la bonne lettre dans la case correspondant à l'enfant ainsi désigné.

Un exemple est donné, correspondant au premier item enregistré.
S'assurer que les élèves ont bien compris avant de poursuivre l'écoute .

PAGE **19**

P. Qu'est-ce que c'est ?
E.1 C'est un avion
P. Combien y a t-il d'avions sur le dessin ?
E.1 Quatre avions

E.1 Qu'est-ce que c'est ?
E.2 C'est une poule.
P. Combien y a t-il de poules sur le dessin ?
E.1 Huit poules.

P. Écoutez bien!

P. Quel âge a B ?
E.1 B a huit ans.
P. Bravo ! À vous maintenant.

38

QUEL ÂGE AS-TU ?

(voix d'adulte) : B, quel âge as-tu ?
B : J'ai 8 ans.

(...) : I, quel âge as-tu ?
I : J'ai 5 ans.

(...) : E, quel âge as-tu ?
E : J'ai 3 ans.

(...) : A, quel âge as-tu ?
A : J'ai 9 ans.

(...) : J, quel âge as-tu ?
J : J'ai 1 an.

(...) : D, quel âge as-tu ?
D : J'ai 4 ans.

(...) : F, quel âge as-tu ?
F : J'ai 7 ans.

(...) : H, quel âge as-tu ?
H : J'ai 10 ans.

(...) : C, quel âge as-tu ?
C : J'ai 2 ans.

(...) : G, quel âge as-tu ?
G : J'ai 6 ans.

Corriger en écrivant au tableau les couples chiffres/lettres
1 J / 2 C / 3 E / 4 D / 5 I / 6 G / 7 F / 8 B / 9 A / 10 H

JEU DRAMATIQUE

Le jeu des jumeaux.
Préparer deux jeux de cartes.
Dans chaque jeu, il y aura autant de cartes portant la même lettre mais accompagnée d'un chiffre différent, sauf pour une carte qui sera identique dans les deux jeux (même lettre et même chiffre). C'est la carte des jumeaux.
Exemple :

Jeu 1 : | A | 8 | | C | 9 | | E | 5 | | H | 3 |

Jeu 2 : | A | 10 | | C | 2 | | E | 5 | | H | 7 |

Former deux équipes avec le même nombre d'enfants.
Dans chaque équipe, distribuer à chaque enfant une carte.
Les enfants d'une équipe doivent poser des questions à ceux de l'autre. Chacun doit trouver dans l'équipe adverse celui qui a la même lettre et lui demander son âge.
Un enfant sort de son équipe et va interroger ceux de l'autre équipe jusqu'à ce qu'on ait trouvé les jumeaux.

P. Formez deux équipes. Chacun a une carte ?
Regardez : il y a un chiffre – c'est votre âge – et une lettre – c'est votre nom pour le jeu.
Posez des questions pour trouver celui qui a la même lettre que vous. Après, vous lui demandez son âge.
Il y en a seulement deux qui ont la même carte. Ce sont les jumeaux. D'accord ?

E.1 Je m'appelle A. Et toi, comment tu t'appelles ?

E.2 B.

E.1 Et toi ?

E.3 H.

E.1 Et toi, comment tu t'appelles ?

E.4 Je m'appelle A.

E.1 Quel âge as-tu ?

E.4 J'ai 8 ans. Et toi, quel âge as-tu ?

E.1 J'ai 10 ans.

Arthur le kangourou

Sortir les quatre cartes nouvelles et travailler avec en jouant à «que fait Arthur ?» (cf. U1).

Puis, reprendre les quatre cartes de l'unité 1. Les mélanger avec les nouvelles, et poursuivre le jeu.

Prolonger cette activité par un jeu de mime.

On peut aussi faire jouer les enfants au «jeu du kangourou» comme dans le travail sur la comptine.
Reprendre les deux sons [$\tilde{\alpha}$] et [$\tilde{\mathsupzero}$].
L'enseignant distribue les huit cartes «Arthur» et dit à haute voix un mot comportant un de ces deux sons, par exemple «avion». L'enfant qui possède une carte contenant ce son doit aussitôt dire «Kangourou!» et dire la phrase correspondante.

[$\tilde{\alpha}$]
il pr<u>en</u>d un crayon (U1)
il fait de la pl<u>an</u>che à roulettes (U2)

[$\tilde{\mathupzero}$]
il prend un cray<u>on</u> (U1)
il joue au ball<u>on</u> (U2)

E.1 Que fait Arthur ?
E.2 Il joue aux billes
(...)

P. Et là, que fait Arthur ? Tu t'en souviens ?
E.3 Il découpe.

P. Attention! Écoutez bien. [$\tilde{\mathupzero}$] comme dans «avion».
E.1 Kangourou! Il joue au ballon.
P. Très bien! Et maintenant, [$\tilde{\alpha}$] comme dans «Sandrine».
E.2 Kangourou! Il fait de la planche à roulettes.
(...)

Si vous souhaitez aborder l'écrit, vous trouverez un exercice page 118 du livre de l'élève et sa correction à la fin du guide pédagogique.

ACTES DE PAROLE

- Demander / donner des renseignements sur le domicile
- Inviter quelqu'un
- Exprimer l'accord
- Exprimer des sentiments, des humeurs

NOTIONS

- La localisation
- Singulier / pluriel
- L'appartenance
- Le présent

RÉALISATIONS LINGUISTIQUES

- Tu habites où ? J'habite ...
- Tu viens chez moi ?
- D'accord !
- Super !

GRAMMAIRE

- Où ? Chez, sur, sous, dans
- Un, une, des, le, la, les
- À qui est-ce ? Voilà les ... de ...
- Les verbes *être*, *inviter*, *aller* et *se cacher* aux 3 pers. sing. du présent

LEXIQUE

- Les nombres de 10 à 20

PHONÉTIQUE ET INTONATION

- [y] et [u]

21 à 28

Face A

TEXTES ENREGISTRÉS

PAGE 22 → BD
Tu viens chez moi ?

PAGE 25 → Comptine
Sous le pont...

PAGE 26 → Activité
Il faut tout ranger

PAGE 28 →
Arthur le kangourou

FIGURINES NOUVELLES

Éric, l'instituteur, Lucie

Des billes, des bonbons, des crayons de couleur, des lunettes

Conseils pédagogiques

Conseils linguistiques

Pour commencer

Avant d'écouter le dialogue enregistré, il est utile de présenter un nouvel acte de parole : demander et dire l'adresse.

L'enseignant complète la présentation commencée dans l'unité 2 en ajoutant sa propre adresse.

Introduire «chez».

Compléter par l'identité et l'adresse de l'enseignant.
Continuer en ajoutant l'adresse de quelques enfants dans la classe.

Introduire l'interrogation.

Suggérer aux enfants de «traduire» leur adresse et dire en français «rue, place, avenue».
Ne pas demander le numéro s'il est trop compliqué.

Donner la parole à quelques enfants. Faire jouer au jeu de la chaîne.

P. Bonjour ! Je m'appelle ..., j'ai ... ans j'habite 8, rue ...

P. 8, rue ..., c'est chez moi : j'habite là.

P. Par exemple, (E.1) peut dire : «Je m'appelle (E.1)
J'ai 8 ans. J'habite... »

P. Et toi, (E.2), tu habites où ?
(Où est-ce que tu habites ? /
Où habites-tu ?)

P. En français, on dit «rue, place, avenue... »

P. (E.1), commence !
E.1 (E.2), tu habites où ?
E.2 J'habite...

PAGE 22

Tu viens chez moi ?

Faire observer les illustrations qui entourent le titre : il y a trois enfants à gauche : Sandrine, Julien et Éric. On peut sortir les figurines correspondantes et présenter Éric que l'on a vu au début du livre dans la «photo de famille» de la page 3.
À droite du titre, il y a un gâteau d'anniversaire avec neuf bougies.

Faire observer la B.D. en se servant de l'affiche. On peut retrouver les enfants, le gâteau d'anniversaire, et faire des hypothèses en langue maternelle sur la situation. Le lieu (la cour d'école), le moment (la récréation), les activités des enfants (ils jouent au ballon, discutent, courent, etc.).

Passer à l'écoute. La musique qui précède le dialogue évoque l'école et la récréation : sifflet, cloche, bruits divers…

P. Voilà un gâteau d'anniversaire
C'est un gâteau pour l'anniversaire de Julien.
Comptez les bougies : 1, 2, 3, ... 9.
Aujourd'hui Julien a 9 ans.

TU VIENS CHEZ MOI ?

JULIEN	Hé, Sandrine, tu viens chez moi cet après-midi ? C'est mon anniversaire.
SANDRINE	D'accord, mais Éric peut venir aussi ?
ÉRIC	Mais, tu habites où ?
JULIEN	J'habite 10, rue de la Poste, tu sais, c'est pas loin de chez toi.
ÉRIC	Super ! Alors, c'est d'accord.
L'INSTITUTEUR	Sandrine, Julien, Éric, la récréation est finie.

Les enfants peuvent repérer dès les premières écoutes de nombreux éléments : les personnages, des mots isolés («chez», «anniversaire») ou des actes de parole («tu habites où ?» «J'habite...»).

La récréation

RÉÉCOUTE . CONTRÔLE DE LA COMPRÉHENSION ORALE

Pour contrôler la compréhension, on propose trois séries de deux images. Dans chaque couple d'images, il y a une image vraie et une image fausse. Il faut donc retrouver les images qui correspondent à la situation du dialogue.

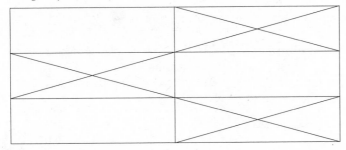

On peut vérifier successivement si les enfants ont compris :
• Qui parle à qui ? (Éric et Julien parlent ensemble, Sandrine vient les interrompre / Sandrine et Éric parlent ensemble, Julien vient les interrompre)
• L'adresse de Julien (10, rue de la Poste / 2, rue de la Poste)
• Le moment (à la sortie de la classe / à l'entrée en classe)

Il faudra avoir recours chaque fois au dialogue, les images de la BD ne permettant pas, à elles seules, de trouver la bonne réponse.

Corriger ensemble.
Reproduire le schéma ci-dessus au tableau.

P. Écoutez encore une fois.
Vous devez mettre une croix sur la bonne image.

P. Tiens, (E.1), mets la croix sur la bonne image.
Vous êtes d'accord ? / C'est juste ? / C'est vrai ?
Écoutez encore une fois. Qui veut venir au tableau aider (E.1) ?

Revenir au passage enregistré qui permet de donner la bonne réponse.

RECONSTITUTION DU DIALOGUE

Comme dans l'unité 2, on pourra prendre comme fil conducteur de la reconstitution les images qui ont servi au contrôle de la compréhension orale

P. Qui a parlé ?
    Qu'a dit Sandrine ?
    Qu'a dit Julien ?
    Qu'a dit Éric ? ...
    Bravo !

L'invitation

PAGE **23**

Cette deuxième activité permet de réinvestir l'invitation.

JEU DRAMATIQUE

Les enfants vont jouer autour de l'acte de parole «demander / dire où on habite».
Constituer des groupes de trois.

Accepter et encourager les variations sur l'âge et l'adresse.

Former des groupes de deux enfants.
Leur demander (éventuellement en langue maternelle) de jouer à tour de rôle à s'inviter.

Un enfant devra inviter l'autre chez lui et répondre à sa question pour lui préciser son adresse.
L'autre enfant complétera ainsi sa carte d'invitation en écrivant son nom et son adresse en langue maternelle.

P. À vous de jouer : formez des groupes de trois...

E.1 Tu viens chez moi pour mon anniversaire ?
E.2 D'accord. Tu habites où ?
E.1 (adresse)

Où est-il ?

PAGE **24**

Cette activité permet de travailler la localisation avec «sur, sous, dans».

PRÉSENTATION DU LEXIQUE . ACTIVITÉS DE PRODUCTION ORALE

Prendre la figurine de Julien et l'afficher sur celle de la planche à roulettes.

P. Voilà Julien.
    Où est Julien ?
    Regardez bien : Julien est sur la planche à roulettes.

Avec un objet de la classe (la colle, par exemple) et une boîte, qui ferme, introduire les prépositions «sur, sous, dans».

Donner des exemples.

Déplacer à nouveau la colle et interroger.

Un enfant prendra la place de l'enseignant.
Répéter cette activité en changeant d'enfants.

Demander maintenant aux enfants de se préparer à retrouver Arthur qui se cache.

Par groupes de deux, ils peuvent s'aider à retrouver les réponses.
Après cinq minutes, chaque «binôme» devra jouer devant les autres en alternant dans la formulation des questions et des réponses et en se servant des figurines.

Il est important qu'ils présentent tous les dessins et toutes les prépositions, dans n'importe quel ordre.

Arthur est dans un avion
Arthur est dans une fusée
Arthur est sous une voiture
Arthur est sur une planche à roulettes
Arthur est sur une bicyclette
Arthur est sous un arbre

P.	Voilà. La colle est *dans* la boîte. Et maintenant la colle est *sous* la boîte. Regardez : la colle est *sur* la boîte. (...)
P.	Où est la colle ?
P.	(E.1), prends ma place.
P.	Regardez bien. Où est Arthur ?
E.1	Où est Arthur ?
E.2	Arthur est sous l'arbre.
E.2	Où est Arthur ?
E.1	(...)

PAGE 24

Je sais compter à l'envers

ACTIVITÉS DE PRODUCTION ORALE

Présenter les nombres de 10 à 20.
Les dire à voix haute et les écrire au fur et à mesure au tableau.

Demander à un enfant de venir écrire les chiffres qu'on lui dictera au tableau.

Faire compter à voix haute de 1 à 20.

Écrire au tableau les chiffres de 20 à 1 et demander aux enfants de compter à voix haute.

Organiser un jeu de «bataille des chiffres».
Former deux équipes.
L'équipe A dictera à un enfant de l'équipe B deux nombres.
L'enfant de l'équipe B écrira les chiffres correspondants au

P.	Regardez. J'écris 10, 11, ..., 20.
P.	(E.1), à toi. Compte de 1 à 20. 1, 2, Continue.
P.	Allez-y ! Comptez à l'envers. Attention! C'est difficile!

45

tableau en les disposant n'importe où pour qu'on ne puisse pas les mémoriser uniquement sous forme de liste.

On alternera enfants de l'équipe A et enfants de l'équipe B. Quand on aura écrit tous les chiffres, les enfants de l'équipe A appelleront un enfant de l'équipe B et lui demanderont d'effacer un nombre.

Si l'équipe A dit correctement son nombre, elle marquera un point.

Si l'enfant de l'équipe B efface le chiffre correspondant, l'équipe B marquera également un point.

P. Vous êtes l'équipe A.
Et vous, vous êtes l'équipe B.
Un élève de l'équipe A dit deux nombres à un élève de l'équipe B.
Par exemple, écris 17 et 13 À vous!
(...)

E.1 (E.2), efface le 17.

Sur le pont

LES SONS [y] ET [u]

Présenter au tableau de feutre des figurines représentant des mots que les élèves connaissent déjà et qui comportent les sons retenus. Les faire classer.

Pour prononcer correctement le son [u] comme dans «kangourou», il faut placer les lèvres comme pour siffler mais il faut garder la langue en arrière.
Pour aider les enfants à bien articuler ce son, leur faire imaginer que ce son vient de leurs pieds.

Pour prononcer correctement le son [y] comme dans «Arthur», il faut partir du son [u] et faire avancer la langue.
Pour aider les enfants à bien articuler ce son, leur faire imaginer qu'il vient de leur front, juste au-dessus de leur nez.

P. Regardez les figurines que je mets au tableau. Vous connaissez tous ces mots. Vous pouvez les dire avec moi.
(...) Quels sons entendez-vous ?
Alors, on peut les classer comment ?

[y]	[u]
Arthur	kangourou
instituteur	poupée
Lucie	trousse
Julien	souris
pull	poule
fusée	
voiture	

LA DISCRIMINATION

Pour aider les enfants à bien faire la différence entre les sons [y] et [u], procéder comme dans l'unité précédente. Jouer à «pigeon vole».

L'ÉCOUTE

Faire écouter l'enregistrement et faire reconstituer le texte complet à la suite d'écoutes successives.
Expliquer les mots inconnus de la comptine et les faire repérer dans l'illustration : le pont, la mer, la plage, le toit de la maison. Les faire situer les uns par rapport aux autres pour retravailler la localisation.

L'ARTICULATION

Faire retrouver dans la comptine les mots où l'on entend les sons [y] et [u] : «sous, sur, tu».

LE RYTHME

Faire travailler le rythme à partir des groupes de souffle.

> ### /SOUS LE PONT.../
>
> /Sous le pont chez Gaston/
> /Sur la mer chez Albert/
> /Sous le toit chez papa/
> /Sur la plage, si tu es sage./

L'INTONATION

Travailler comme dans les deux premières unités.

Terminer en faisant jouer la comptine «à deux voix».

PAGE **26**

Sous le pont chez Gaston

Sur la mer chez Albert

Sous le toit chez papa

Sur la plage, si tu es sage.

Il faut tout ranger

Cette page permet de sensibiliser les enfants à la notion de singulier et de pluriel des noms en leur faisant observer l'opposition «un, une / des».

PRÉSENTATION DU LEXIQUE

Se servir des figurines pour présenter au tableau de feutre le lexique nouveau : «billes, crayons de couleurs, bonbons, lunettes».

Faire retrouver dans le dessin les objets qu'on vient de présenter et les objets suivants : «trousse, bicyclette, ballon, avion».

P.   Qui a trouvé l'avion ?
E.   Moi!

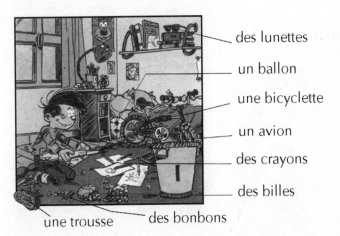

des lunettes

un ballon

une bicyclette

un avion

des crayons

des billes

une trousse   des bonbons

Aider les enfants qui n'ont pas retrouvé les objets à les repérer sur la page.

ÉCOUTE . *ACTIVITÉ DE CONTRÔLE DE LA COMPRÉHENSION ORALE*

Dans l'enregistrement, chaque objet est introduit par un numéro.
Dans l'illustration, il y a une case à côté de chaque objet. Les élèves doivent écrire le bon numéro dans la case correspondante.

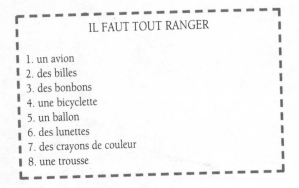

IL FAUT TOUT RANGER

1. un avion
2. des billes
3. des bonbons
4. une bicyclette
5. un ballon
6. des lunettes
7. des crayons de couleur
8. une trousse

ACTIVITÉ DE CLASSEMENT

Passer au classement des singuliers et des pluriels.
Dans l'illustration, la corbeille caractérisée par un trait noir unique servira à symboliser le classement des singuliers. La corbeille avec trois traits noirs recueillera les pluriels.

Si les enfants ont l'habitude d'utiliser la terminologie singulier / pluriel, leur demander d'expliquer en langue maternelle comment ils ont distingué le nombre.
S'ils n'en ont pas l'habitude, leur faire mettre ensemble tous les objets précédés de «des», puis ceux précédés de «un» ou «une». Donner un exemple pour chaque panier en dessinant les paniers au tableau.

Corriger ensemble au tableau de feutre en se servant des figurines.

P. Regarde bien. Où est la bicyclette ?
(...) Elle est là.

P. Écoutez bien!
Écrivez le bon numéro dans la bonne case.

P. Regardez les deux paniers.
Je mets «un avion» là, c'est le n° 1?
Maintenant, je mets «des billes» dans ce panier là, c'est le n° 2.
Continuez.
Écoutons encore une fois.

À qui est-ce ?

MISE EN RELATION DES ÉLÉMENTS DE LA PAGE
ACTIVITÉS DE PRODUCTION ORALE

Cette page permet de faire travailler sur l'appartenance.
Pour expliquer la règle du jeu et présenter l'activité, disposer les figurines de Julien, de Sandrine et d'Éric au tableau de feutre.
Prendre la figurine du ballon et la mettre à côté de Sandrine.

Poser la question à un enfant.

P.	Voilà le ballon de Sandrine. Le ballon est à Sandrine. (E.1), à qui est le ballon ?
E.1	À Sandrine.

Continuer l'activité en disposant en bas du tableau de feutre toutes les figurines des objets, en désordre sous les trois personnages : ballon, lunettes, bonbons, crayons de couleur, livre, cahier, billes, voiture, cartable.

Demander aux enfants de se préparer à répondre en travaillant à deux à partir des dessins du livre.

P.	Travaillez à deux. (E.1), tu travailles avec (E.2)... Regardez la page. Vous devez dire à qui sont tous ces objets.
E.1	Voilà des billes.

Faire venir au tableau de feutre deux enfants à tour de rôle. E.1 choisit un objet et le présente.

Ensuite, E.2 lui pose une question et E.1 lui répond.

E.2	À qui sont les billes ?
E.1	Les billes sont à Julien.

E.2 place la figurine «billes» sous celle de «Julien»

Continuer et faire éventuellement utiliser le même objet plusieurs fois par des groupes différents.

Arthur le kangourou

Pour «Arthur le kangourou», procéder comme d'habitude.
Dans cette page apparaît pour la première fois Lucie la souris, l'amie d'Arthur.
Elle servira à introduire le féminin du point de vue grammatical. Ses caractéristiques physiques permettront de jouer sur toutes sortes d'oppositions souvent amusantes.
Pour l'image 2, aider les enfants à utiliser les verbes «aller» (je vais, tu vas, il va) et «être» (je suis, tu es, il est).

On dispose maintenant d'un jeu de 12 cartes. On peut, comme dans l'unité 2, jouer au «jeu du kangourou» à partir des sons [y] et [u]

[u]
Il découpe (U1)
Il joue au ballon (U2)
Il fait de la planche à roulettes (U2)
Il joue aux billes (U2)
Lucie se cache sous la table (U3)
Mais où est donc Lucie ? (U3)

[y]
Lucie invite Arthur (U3)
Arthur va chez elle (U3)
Lucie se cache sous la table (U3)
Mais où est donc Lucie ? (U3)

On peut se servir du personnage de Lucie pour travailler le féminin. Afficher la figurine au tableau de feutre et les élèves tirent au hasard une carte. Ils doivent transformer la carte en changeant le genre.
Exemple : Il dessine → Elle dessine.

P. (ou E.1)	Que fait Lucie ?
E.2	Elle dessine.
	(…)

Si vous souhaitez aborder l'écrit vous trouverez un exercice page 119 du livre de l'élève et sa correction à la fin du guide pédagogique.

B.D.

- Demander à quelqu'un de faire quelque chose
- Demander / donner des renseignements sur l'âge
- Présenter quelqu'un / se présenter
- Demander / donner des renseignements sur le domicile

ACTIVITÉS

- L'appartenance
- Demander des renseignements sur quelqu'un
- Masculin / féminin

ARTHUR LE KANGOUROU

- Les 3 personnes du singulier au présent

29 à 32

Face A

Que disent-ils ?

CONTRÔLE DU LEXIQUE ET DE LA COMPÉTENCE DE COMMUNICATION

La page reproduit trois séquences extraites des bandes dessinées « Sandrine et Julien » des unités précédentes (pages 6, 14 et 22).
Les enfants devraient donc être capables de les resituer dans les épisodes déjà travaillés et d'y associer un ou plusieurs échanges des dialogues entendus et reconstitués.
Faire observer les trois séquences d'images aux enfants.
Expliquer en langue maternelle qu'il s'agit de retrouver ce que disent les personnages dans la situation illustrée par chacune des vignettes.

QUE DISENT-ILS

Unité 1
SANDRINE   Regarde Julien, c'est facile, prends un crayon, dessine la fusée.
JULIEN   Voilà !

Unité 2
PRÉSENTATEUR   Quel âge as-tu ?
SANDRINE   J'ai 8 ans.
PRÉSENTATEUR   Et toi, comment t'appelles-tu ?
JULIEN   Je m'appelle Julien.

Unité 3
ÉRIC   Mais, tu habites où ?
JULIEN   J'habite 10, rue de la Poste, tu sais, c'est pas loin de chez toi.

On peut accepter des variantes lexicales et syntaxiques si elles sont cohérentes avec la situation.

Cet exercice de contrôle peut être fait individuellement ou en groupe suivant les habitudes et les besoins de l'évaluation. Les critères donnés dans la grille suivante peuvent aider à analyser les difficultés des élèves pour les aider à mieux travailler ensuite leurs points faibles.

Elèves						
Adéquation						
Articulation						
Intonation						
Correction morpho-syntaxique						
Richesse lexicale						

Cette grille, répétée au cours des quatre «POUCE», élève par élève, permettra de suivre les progrès et les difficultés de chaque élève.

L'enregistrement peut être utilisé pour une correction collective ou individuelle et pour reprendre et retravailler chacun des critères d'évaluation proposés dans la grille. Il n'est donc utilisé qu'en fin d'activité.

La grande roue

PAGE 30

CONTRÔLE DU LEXIQUE

L'évaluation porte à la fois sur le lexique et sur l'appartenance.

Cette activité se fait en binôme. Il faut afficher au tableau de feutre les figurines de tous les objets en deux colonnes singulier / pluriel.

un pull
une trousse
un cartable
une bicyclette
une poupée
un cahier
un ballon
un crayon
une fusée
une planche à roulettes
un chien
un avion

des ciseaux
des bonbons
des billes
des crayons
des lunettes
des voitures
des pommes
des cerises

Le premier joueur choisit deux objets dans la colonne singulier et deux objets dans la colonne pluriel. Il jette un dé. Le chiffre sorti indique le personnage à qui appartiendront les objets.

1️⃣ Julien

2️⃣ Chantal

3️⃣ Lucie

4️⃣ Éric

5️⃣ Arthur

6️⃣ Sandrine

(Chantal est un personnage que les enfants n'ont pas encore rencontré mais qui fait partie de la bande des enfants.)

Le deuxième joueur choisit un objet parmi les quatre sélectionnés. Les deux joueurs jouent en binôme.

Exemple :
E.1   Qu'est-ce que c'est ?
E.2   C'est un crayon.
E.1   À qui est le crayon ?
E.2   Le crayon est à Julien.

Attention aux pluriels : À qui est le crayon / À qui sont les ciseaux ?

Un ou Une
PAGE 31

CONTRÔLE DE L'EMPLOI DES DÉTERMINANTS MASCULINS ET FÉMININS

Cet exercice est à faire individuellement.

Les élèves doivent porter un rond « O » dans les cases sous les illustrations de chaque mot masculin (un chien, un crayon, un avion, un cartable, un livre) et une croix « X » dans les cases des mots féminins (une poupée, une trousse, une feuille de papier, une bicyclette, une voiture, une planche à roulettes).

Que fait Arthur ?
PAGE 32

CONTRÔLE DU LEXIQUE ET DE LA COMPÉTENCE DE COMMUNICATION

Cette page présente quatre vignettes reprises des pages « Arthur le kangourou » des trois unités précédentes (pages 12, 20 et 28).
Les élèves les ont donc déjà travaillées.

Regarde Arthur le kangourou !

U1 – Il colle.
U2 – Il joue aux billes.
U2 – Il lit un livre.
U3 – Il va chez Lucie.

Sortir les cartes « Arthur » correspondantes.

Les élèves jouent en binôme.

Pour corriger, comme dans la première activité du POUCE, on se sert, à la fin seulement, de l'enregistrement.

Si on le souhaite, on peut élargir cette activité et demander aux enfants de se souvenir d'autres activités d'Arthur appartenant à la même séquence. On peut leur donner comme stimulus :
« Je me rappelle, il prend un crayon, il dessine, (il) découpe et (il) colle. »

ACTES DE PAROLE

- Demander / donner des renseignements à une personne sur son état de santé
- Exprimer des sentiments, des humeurs : la douleur

RÉALISATIONS LINGUISTIQUES

- Qu'est-ce que tu as ? Tu es malade ? Tu as de la fièvre ? Tu as mal à ... ?
- J'ai mal à la tête

NOTIONS

- L'appartenance
- Les couleurs
- Masculin / féminin
- Le présent

GRAMMAIRE

- Mon, ma, mes, ton, ta, tes
- Les adjectifs de couleur

- Les verbes *avoir, venir* et *devoir* aux 3 pers. plur. du présent

LEXIQUE

- Le corps humain
- Les couleurs

PHONÉTIQUE ET INTONATION

- [p], [b] et [v]

TEXTES ENREGISTRÉS

PAGE 34 → BD
J'ai mal partout

PAGE 36 → Activité
C'est mon pull

PAGE 37 → Comptine
Un lapin médecin ...

PAGE 38 → Activité
Les belles couleurs !

PAGE 40 →
Arthur le kangourou

FIGURINES NOUVELLES

Le corps humain

11 pastilles de couleur (blanc, bleu, gris, jaune, marron, noir, orange, rose, rouge, vert, violet)

Le ciel, un citron, une coccinelle, un éléphant, une orange, un radis, une salade, une souris, une tomate

4

33 à 40

Face A

Conseils pédagogiques

Pour commencer

Avant d'écouter le dialogue de la B.D., les enfants ont besoin de savoir reconnaître quelques parties du corps. Les présenter en se servant de la figurine du corps humain.

Ensuite, donner des exemples sur soi.

Demander à un enfant de montrer une partie du corps d'un autre enfant.

Ensuite, mimer «J'ai mal» et indiquer les parties du corps connues.

Demander aux enfants de mimer à leur tour.

J'ai mal partout

Faire observer la B.D. et les deux dessins qui encadrent le titre : à gauche Sandrine qui semble malade et à droite un thermomètre et des médicaments.
Retrouver dans la B.D. ou sur l'affiche la situation (Sandrine est couchée, sa maman vient la réveiller) et les parties du corps que Sandrine montre (tête, ventre).

Passer à l'écoute.

La musique qui introduit le dialogue est une petite chanson sur un rythme un peu «blues» :

> «J'suis très malade, j'me sens pas bien
> j'ai mal à la tête, j'me sens pas bien
> j'ai de la fièvre, j'ai mal partout»

J'AI MAL PARTOUT

MAMAN   Il est 7 heures, Sandrine, debout !

SANDRINE   Maman, j'ai mal à la tête.

MAMAN   Oh ! Tu es toute rouge... tu es malade ? Qu'est-ce que tu as ?

SANDRINE   J'ai mal à la tête...

MAMAN   Et là, tu as mal aussi ?

SANDRINE   Oui, j'ai mal au ventre... j'ai mal partout...

MAMAN   Je vois... tu as de la fièvre.

Conseils linguistiques

P.   Regardez. Voilà la tête.
Voilà le pied.
Voilà le ventre.
Et voilà la main.

P.   Voilà mon ventre, voilà ma tête,
voilà...

P.   (E.1), montre-moi la tête de (E.2).
(...)

P.   Aïe, aïe ! J'ai mal à la tête !
J'ai mal au ventre !
J'ai mal au pied !
J'ai mal à la tête !

PAGE 34

P.   Sandrine est malade.
Où est-ce qu'elle a mal ?
Écoutez.

Faire identifier les voix. Se servir des figurines, si nécessaire (Sandrine, la maman de Sandrine).

Faire réécouter pour repérer les mots connus ou reconnus. Travailler avec l'affiche et la figurine du corps humain.

Sandrine est malade

RÉÉCOUTE . CONTRÔLE DE LA COMPRÉHENSION ORALE

L'activité proposée permet de vérifier si les enfants ont bien compris où Sandrine avait mal. Il faut donc retrouver la «vraie Sandrine» correspondant au dialogue. Plusieurs écoutes seront nécessaires.

P. Quel est le bon dessin ?
Où est-ce que Sandrine a mal ?

image 1 Sandrine a mal à la tête et au ventre	image 2 Sandrine a mal à la tête et au genou
image3 Sandrine a mal à la tête et au dos	image 4 Sandrine a mal au pied et au doigt (au pouce)

Corriger ensemble

Les images «fausses» serviront à introduire d'autres parties du corps : genoux, dos, doigt.

RECONSTITUTION DU DIALOGUE

Demander aux enfants de retrouver la bonne phrase ainsi que la bonne intonation.
L'enregistrement sera le modèle.
Bien insister sur le fait qu'on va faire «comme maman et Sandrine».

P. Que dit maman ? Écoutons encore une fois.
Que dit Sandrine ? Écoutez bien.

JEU DRAMATIQUE

Cette activité est l'occasion d'exprimer ce qu'on ressent et de «jouer au malade».

Par groupes de deux, les enfants devront proposer un dialogue semblable à celui qui a été reconstitué, mais ils ont le droit de changer d'identité, et «maman» pourrait bien évidemment devenir «papa» si un garçon veut jouer le rôle de l'adulte.

P. À vous de jouer.
Qui veut être malade ?

C'est mon pull !

La première partie de la page va permettre de travailler l'emploi de l'adjectif possessif.

REPRISE DU LEXIQUE

Reprise du lexique connu. Présenter les figurines «poupée, lunettes, pull, ballon, trousse, crayons de couleurs, cartable, ciseaux, bicyclette».

Demander aux enfants de regarder la première partie de la page 36 et questionner.

P. À qui est le pull ?
À qui sont les lunettes ?
Et la poupée ?
C'est vrai ou c'est faux ? Écoutons l'enregistrement.

ÉCOUTE . ACTIVITÉ DE CONTRÔLE DE LA COMPRÉHENSION ORALE

Passer à l'écoute

> ### C'EST MON PULL
>
> | | |
> |---|---|
> | ÉRIC | Sandrine, c'est ton pull ? |
> | JULIEN | Non, c'est mon pull. |
> | ÉRIC | Julien, c'est ta poupée ? |
> | SANDRINE | Non, c'est ma poupée. |
> | ÉRIC | Julien, c'est tes lunettes ? |
> | SANDRINE | Ah non ! C'est mes lunettes*. |

Faire tracer des flèches reliant les objets à leurs propriétaires.
le pull → Julien
la poupée → Sandrine
les lunettes → Sandrine

Corriger ensemble en laissant les figurines au tableau de feutre.
Faire reconstituer.

P. Le pull est à Julien.
La poupée est à Sandrine.
Les lunettes sont à Sandrine.
Que dit Julien ?
E.1 C'est mon pull...
(...)

(*La forme «c'est mes lunettes» est acceptable à l'oral car plus simple et plus utilisée par les enfants que la forme «ce sont mes lunettes».)

Le jeu des objets

ACTIVITÉ DE PRODUCTION ORALE

Chaque enfant choisit un des objets. L'enseignant appelle un enfant après l'autre au tableau de feutre et le présente. L'enfant choisit l'objet qu'il veut et devra donner une réponse complète.

P.   C'est (E.2)
E.1 C'est mon cartable.

Un lapin médecin

LES SONS [p], [b] ET [v]

Mettre au tableau de feutre des figurines comportant les sons [p], [b] et [v], même si les enfants ne connaissent pas encore tous les mots.
Si on préfère, on peut n'utiliser qu'une partie de ces figurines.

[p]	[b]	[v]
pain	maillot de bain	avion
pantalon	banane	hiver
poule	boucherie	lavabo
pomme	bottes	livre
tapis	cartable	veste
écharpe	imperméable	viande
poupée	lavabo	voiture

P.   Regardez ces figurines, vous ne connaissez pas tous ces mots encore. Quels sont ceux que vous connaissez déjà ?
Les autres, je vais les dire pour vous et puis on va les classer comme d'habitude.
Vous entendez des sons qui reviennent d'un mot à l'autre ?
(...)

Pour prononcer correctement le son [p] de «poule», il faut partir les lèvres légèrement ouvertes, puis les appuyer légèrement l'une contre l'autre pour articuler le son qui est court, explosif.
Les cordes vocales ne vibrent pas.
Pour aider les enfants à articuler correctement ce son, insister sur l'explosion du son et sur le fait qu'il n'est pas sonore.

Pour prononcer correctement le son [b] de «ballon», garder la bouche légèrement ouverte.
Bien appuyer les lèvres l'une contre l'autre et faire vibrer les cordes vocales.
Pour aider les enfants à bien articuler ce son, leur rappeler que le son est en quelque sorte plus lent, plus profond et que les cordes vocales vibrent. Pour leur faire remarquer la différence, leur faire poser une main à plat sur la gorge quand ils articulent les deux sons.

Pour prononcer correctement le son [v] de «voiture», partir du son [f] de «éléphant».

Appuyer nettement la lèvre inférieure contre la lèvre supérieure.

Les cordes vocales vibrent.

Pour aider les enfants à articuler correctement ce son, leur demander de mordre légèrement la lèvre inférieure.

LA DISCRIMINATION

Procéder comme dans l'unité 2 et réutiliser le jeu décrit.

L'ÉCOUTE

Faire écouter l'enregistrement et faire reconstituer le texte complet à la suite d'écoutes successives. On peut faire reconstituer la comptine en s'appuyant sur l'illustration :
la chatte / pattes
la belette / tête
l'hirondelle / ailes
le lapin médecin

Indiquer la jambe et qu'on dit «patte» pour la jambe d'un animal.

On peut faire mimer la comptine, chaque animal étant joué par un enfant différent.

L'ARTICULATION

Procéder comme dans les unités précédentes.

Faire rechercher dans la comptine les mots dans lesquels on entend les sons à travailler : lapin, patte, belette, pour.

Organiser un jeu du corbillon ou un jeu du train.

LE RYTHME

> ### UN LAPIN MÉDECIN...
>
> /La chatte a mal à la patte/
> /La belette a mal à la tête/
> /L'hirondelle a mal aux ailes/
> /Un lapin/
> /médecin/
> /est arrivé pour les soigner/

Travailler comme dans les unités précédentes.
Attribuer à quatre élèves le rôle des quatre personnages de la comptine : la chatte, la belette, l'hirondelle, le lapin médecin.
Chacun dit la phrase le concernant.

E.1   La chatte a mal à la patte

E.2   La belette a mal à la tête

E.3   L'hirondelle a mal aux ailes

E.4   Un lapin médecin est arrivé pour les soigner

Les belles couleurs

PAGE 38

PRÉSENTATION DU LEXIQUE

Colorier les pastilles du coffret de figurines dans les onze couleurs indiquées pour présenter au tableau de feutre le nom des couleurs en français.

Poser des questions pour contrôler.

Passer ensuite à la présentation de la couleur de quelques vêtements portés dans la classe.

Poser ensuite quelques questions.

P.   Regardez, c'est bleu.
(...)

P.   De quelle couleur est-ce ?

P.   Regardez : le pull de (E.1) est rose.

P.   De quelle couleur est le pantalon de (E.1) ?

ÉCOUTE . ACTIVITÉ DE CONTRÔLE DE LA COMPRÉHENSION ORALE

Faire écouter

LES BELLES COULEURS

La coccinelle numéro 1 est bleue
La coccinelle numéro 2 est jaune
La coccinelle numéro 3 est verte
La coccinelle numéro 4 est violette
La coccinelle numéro 5 est rouge
La coccinelle numéro 6 est blanche
La coccinelle numéro 7 est noire
La coccinelle numéro 8 est grise
La coccinelle numéro 9 est rose
La coccinelle numéro 10 est marron
La coccinelle numéro 11 est orange

Les élèves doivent écrire le bon numéro à côté des coccinelles.
Attention : selon les tirages, les couleurs sont plus ou moins fidèles. Le violet en particulier est très proche d'un bleu foncé.

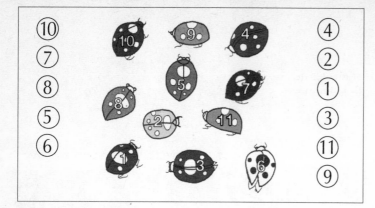

On peut demander aux élèves de reprendre oralement la correction.

PRÉSENTATION DU LEXIQUE
ACTIVITÉ DE PRODUCTION ORALE

C'est la deuxième partie de la page.

Présenter au tableau de feutre les figurines des différents éléments inconnus (ciel, tomate, orange, radis, souris, citron, salade, éléphant) et leur couleur.

Attention aux adjectifs féminins dont la forme varie à l'oral.

Demander aux enfants de se préparer à répondre.
Leur laisser quelques minutes pour qu'ils travaillent à deux.
Demander ensuite aux enfants de choisir un élément, de poser, l'un, la bonne question et de donner, l'autre, la bonne réponse.

Le monde à l'envers

ACTIVITÉ DE PRODUCTION ORALE

Pour illustrer ce jeu qui s'appelle «le monde à l'envers» on a choisi de dessiner un globe et deux personnages placés aux antipodes ; celui qui est «en bas», comme dans les représentations naïves, est «à l'envers».

Ce jeu permet de retrouver plusieurs éléments linguistiques déjà pratiqués par les enfants et de leur demander de les réutiliser. Mais, puisque les choses fonctionnent à l'envers, ces éléments veulent dire tout à fait autre chose pendant la durée du jeu.

E.1 La coccinelle n°10 est marron.
E.2 La coccinelle n°9 est rose.
(...)

P. Attention ! La souris est grise.
La salade est verte !

P. (E.1) et (E.2), qu'est-ce que vous avez choisi ?
E.1 L'éléphant.
P. Allez-y !
E.1 De quelle couleur est l'éléphant ?
E.2 L'éléphant est gris.
(...)

P. C'est le monde à l'envers. Tout a changé ! Nous allons jouer ensemble.

Sélectionner d'abord les éléments linguistiques sur lesquels on veut travailler, par exemple les parties du corps, les couleurs, des objets, des chiffres, etc.
Les afficher au tableau de feutre. Pour les chiffres, les écrire au tableau. Ces éléments resteront sous les yeux des enfants pendant toute la durée du jeu.
Former deux équipes.
Le jeu se déroule en deux manches. Pendant la première manche l'équipe A joue le rôle de (E.1), pendant la deuxième, elle joue le rôle de (E.2).
Les enfants jouent en binôme (un de chaque équipe) devant toute la classe.
Par exemple, le premier élève (E.1) montre sa tête en disant : «J'ai mal au bras».
Le second doit répliquer le plus vite possible en disant «J'ai mal à la tête» en montrant son bras.

On peut se servir de l'illustration de la page pour expliquer le jeu.

| E.1 | J'ai mal au bras. |
| E.2 | J'ai mal à la tête. |

Si on joue avec les chiffres, on fait la même chose : le premier montre le 5 en disant «c'est le 16».

| E.1 | C'est le 16. |
| E.2 | C'est le 5. |

Si on joue avec les couleurs : le premier montre le jaune, en disant «c'est bleu».

| E.1 | C'est bleu. |
| E.2 | C'est jaune. |

On peut jouer également avec les objets ou les animaux.

| E.1 | Voilà un éléphant. |
| E.2 | Voilà une souris. |

Pour compter les points, on compte différemment selon qu'il s'agit de (E.1) ou de (E.2).
Pour (E.1), un point si la phrase est correcte du point de vue linguistique et phonétique.
Pour (E.2), on comptera 1 point si la phrase est correcte du point de vue linguistique et phonétique, et 1 point supplémentaire si la réponse est rapide et adéquate.

Ce jeu pourra être repris plusieurs fois pendant l'année scolaire en y ajoutant un matériel linguistique progressivement plus riche.

Arthur le kangourou

PAGE 40

Procéder comme précédemment.

Pour l'image 2, aider les enfants à utiliser le verbe «avoir» (j'ai, tu as, il a).

Écouter.

Jouer avec les cartes «Arthur».
On dispose maintenant d'un jeu de 16 cartes.

Si on joue avec la figurine Lucie, attention à la 3e carte = «Le lapin médecin vient la voir».

On peut jouer au jeu du kangourou soit en travaillant uniquement les sons [p], [b] et [v], soit en ajoutant ces sons à ceux vu dans les unités précédentes.

[p]
Il prend un crayon (U1)
Il découpe (U1)
Il fait de la planche à roulettes (U2)
Un lapin médecin vient le voir (U4)

[b]
Il joue au ballon (U2)
Il joue aux billes (U2)
Lucie se cache sous la table (U3)

[v]
Il lit un livre (U2)
Lucie invite Arthur (U3)
Arthur va chez elle (U3)
Un lapin médecin vient le voir (U4)

Si vous souhaitez aborder l'écrit vous trouverez un exercice page 119 du livre de l'élève et sa correction à la fin du guide pédagogique.

ACTES DE PAROLE

- Demander / donner des renseignements sur une personne ou un objet
- Exprimer des sentiments, des humeurs
- Demander / exprimer des préférences

RÉALISATIONS LINGUISTIQUES

- Qu'est-ce que c'est ? C'est grand ? C'est ... ?
- Mais non, tu es bête !
- Qu'est-ce que tu aimes ? J'aime ... / je n'aime pas ...

NOTIONS

- La qualité
- La négation
- Le présent

GRAMMAIRE

- Ce n'est pas ... / Je n'aime pas ...
- Le verbe *aimer* aux 3 pers. sing. du présent

LEXIQUE

- Adjectifs descriptifs
- Les produits alimentaires

PHONÉTIQUE ET INTONATION

- [r]

TEXTES ENREGISTRÉS

PAGE 42 → BD
Une surprise

PAGE 44 → Activité
Arthur aime ... Lucie aime ... Et toi ?

PAGE 45 → Comptine
Noir n'est pas blanc

PAGE 48 →
Arthur le kangourou

FIGURINES NOUVELLES

Grand, petit, rond, carré, lourd, léger

Une banane, du chocolat, un escargot, du fromage, une glace, du lait, un lion, un oiseau, du riz, de la viande

5

41 à 48

Face A

Conseils pédagogiques

Conseils linguistiques

Pour commencer

Les enfants ont besoin de connaître quelques adjectifs pour comprendre le dialogue.

Utiliser les figurines qui symbolisent les adjectifs «lourd», «léger», «petit», «grand», «rond», «carré».
Mimer pour mieux faire comprendre, exagérer et éventuellement prendre des exemples connus des enfants.

Proposer ensuite la forme au féminin.
Pour le dernier exemple, dessiner au tableau une montre de forme carrée.

P. Regardez le ballon : il est rond.
Vous connaissez l'acteur XY ?
Il est petit/grand...

P. Je prends ce livre. Il est lourd !
Voilà une orange. Elle est ronde.
Voici une voiture. Elle est lourde.
C'est une souris. Elle est petite.
Voici une feuille de papier.
Elle est légère.
C'est une montre. Elle est carrée.

PAGE 42

Une surprise

Faire observer la B.D. et, en se servant de l'affiche, faire retrouver Sandrine, Julien et le cadeau (= une surprise).

Passer à l'écoute. La musique qui précède le dialogue évoque l'opposition (ici, entre deux volumes sonores).

P. Aujourd'hui il y a une surprise pour Sandrine. Qu'est-ce que c'est ? Écoutons.

UNE SURPRISE POUR SANDRINE

JULIEN   Sandrine, Sandrine, regarde, j'ai un cadeau pour toi !
SANDRINE Qu'est-ce que c'est ?
JULIEN   Devine !
SANDRINE C'est grand ou c'est petit ?
JULIEN   C'est petit.
SANDRINE C'est rond ou c'est carré ?
JULIEN   C'est... rond.
SANDRINE C'est lourd ou c'est léger ?
JULIEN   C'est léger.
SANDRINE C'est petit, c'est rond, c'est léger... C'est un ballon !
JULIEN   Mais non. Tu es bête ! Je vais t'aider, c'est un animal.
(miaulement)
SANDRINE Oh ! un petit chat. Il est tout doux.

Dès la première écoute, les enfants auront «deviné» la surprise pour Sandrine.

P. Alors, la surprise, qu'est-ce que c'est ?
E. Un chat!
P. Bravo! Comment est le chat de Sandrine ? On va réécouter.

Le petit chat de Sandrine

Réécoute . Contrôle de la compréhension orale

Cette première activité permet de vérifier que les enfants ont bien compris la description du petit chat.
Demander aux enfants de retrouver les caractéristiques de chacun des chats.
Mettre au tableau de feutre la figurine du chat.
Afficher au tableau de feutre, en face de la figurine du chat, les trois figurines qui composent chacune des descriptions proposées
Chaque ligne correspond à une description différente.
1re série : le chat est carré, lourd et grand.
2e série : le chat est petit, rond et léger.
3e série : le chat est grand, rond et lourd.

C'est donc la seconde qui correspond au dialogue.

P.	Alors, comment est le premier chat ?
E.1	Il est carré et lourd!
P.	C'est tout ?
E.2	Il est grand!
P.	Est-ce que c'est le petit chat de Sandrine ?
E.	Non!
P.	Un chat carré, ça existe ? ... Et comment est le second chat ? (...)

Reconstitution du dialogue

Faire reconstituer ensuite le dialogue phrase par phrase comme pour les autres unités.

P.	Que dit Sandrine ? ... Que dit Julien ? ... C'est vraiment ce que Julien (Sandrine) a dit? ... Écoute bien. ... Voilà, c'est ça, Bravo !

Jeu dramatique

Les enfants peuvent, à partir du dialogue, demander des renseignements sur un objet.

Choisir avec les enfants, ou leur suggérer, quelques éléments de variation possible : un ballon (rond et léger), une bicyclette (grande et lourde), une bille (ronde et petite), etc.
Un élève choisit un des éléments retenus et affiche au tableau de feutre la figurine correspondante. Il donne les caractéristiques de cet objet, prend les figurines symbolisant ces caractéristiques, les affiche et donne alors la description de l'objet.

E.1	C'est une bille. C'est petit, rond et léger/Elle est petite, ronde et légère

Je sais décrire

Activité de production orale

Afficher au tableau de feutre les figurines des éléments représentés sur la page : livre, ballon, ciel, éléphant, souris, salade, citron, montre, orange.

Contrôler si les enfants se souviennent des mots correspondants.
Disposer aussi les pastilles de couleur.

Demander ensuite aux enfants de se préparer à décrire les éléments représentés sur la page.

Un enfant devra ensuite proposer une description à un autre enfant qui doit deviner de quoi il s'agit.

P.	Qu'est-ce que c'est ? ... De quelle couleur est cette pastille ? ... Et ça, qu'est-ce que c'est ? De quelle couleur c'est ?
E.1	Elle est ronde, elle est légère, elle est orange. Qu'est-ce que c'est ?
E.2	C'est une orange.
E.1	Bravo, c'est juste. À toi !
E.2	C'est petit, c'est gris, qu'est-ce que c'est ?
E.3	C'est une souris.
E.2	Bravo ! À toi !
E.3	C'est très grand, c'est bleu ou gris.
E.4	C'est lourd ?
E.3	Je ne sais pas. Pour moi, c'est léger.
E.4	Le ciel ? (...)

Lucie aime... Arthur aime... et toi ?

Dans cette page on découvre ce que Lucie et Arthur aiment. Les enfants pourront, à partir de cela, exprimer leurs goûts.

PRÉSENTATION DU LEXIQUE

Présenter au tableau de feutre les figurines des éléments nouveaux (chocolat, glace, banane, lait, viande, riz, fromage).
Y ajouter ensuite des éléments connus (tomate, salade, radis, citron, cerise) et organiser un jeu de Kim.

ÉCOUTE . ACTIVITÉ DE CONTRÔLE DE LA COMPRÉHENSION ORALE

Passer à l'écoute. Les enfants devront indiquer dans la grille ce que Lucie et Arthur disent aimer ou ne pas aimer en dessinant un cœur ou un cœur barré.

P.	Arthur et Lucie n'ont pas les mêmes goûts. Écoutez bien !

> ### LUCIE AIME... ARTHUR AIME... ET TOI ?
>
> LUCIE   Qu'est-ce que tu aimes ?
> ARTHUR   J'aime la salade, le chocolat, mais je n'aime pas les tomates. Et toi ?
> LUCIE   Oh, moi, j'aime les cerises et le fromage, mais je n'aime pas le lait.

Faire d'abord retrouver aux enfants l'ordre du dialogue Lucie / Arthur / Lucie.

P.	Qui parle d'abord ?
E.1	Lucie !
P.	Bien, qui parle ensuite ? (...)

Faire remplir la première colonne = ce qu'Arthur aime ou n'aime pas. Puis la deuxième = ce que Lucie aime ou n'aime pas.
Procéder à plusieurs écoutes et passer à la correction.

	Arthur	Lucie
chocolat	♥	
glace		
cerises		♥
citrons		
bananes		
bonbons		
tomates	♥̸	
lait		♥̸
viande		
salade	♥	
riz		
fromage		♥

ACTIVITÉS DE PRODUCTION ORALE

Demander ensuite aux enfants ce qu'ils aiment.

Les enfants peuvent compléter la grille de leur livre d'activités avec des cœurs ou des cœurs barrés pour indiquer ce qu'ils aiment et n'aiment pas.

Demander ensuite aux enfants de travailler à deux, de se poser des questions et de répondre. Comme Lucie et comme Arthur, ils devront produire une phrase complète.

On pourra tracer au tableau une grande grille avec les noms des enfants et y porter ce qu'ils aiment ou n'aiment pas, tout en restant dans le cadre des éléments connus en français.

P.	Alors, Arthur, qu'est-ce qu'il aime ?
E.	Il aime le chocolat et la salade. Et il aime les tomates?
E.	Non, il n'aime pas les tomates.
P.	Et Lucie ?
	(...)

P.	Et toi, (E.1), qu'est-ce que tu aimes ?
E.1	J'aime la salade et le fromage.
P.	Et qu'est-ce que tu n'aimes pas ?
E.1	Je n'aime pas le lait et la viande.

E.1	E.2, tu aimes le chocolat ?
E.2	Oui, j'aime le chocolat

Noir n'est pas blanc

PAGE

LE SON [r]

Présenter au tableau de feutre les figurines comportant le son [r].

[r]
Arthur / présentateur / cerise / Sandrine / arbre / citron / Éric / cartable / crayon / fromage / orange / riz / garçon / trousse / montre / radis / planche à roulettes.

Pour prononcer correctement le son [r], comme dans
«arbre», placer la pointe de la langue contre les incisives
inférieures et faire vibrer la langue contre le palais, en gardant toujours la pointe de la langue vers le bas.
Pour aider les enfants à articuler correctement ce son,
typique du français, leur demander de «ronronner» sans
produire un son trop guttural, c'est-à-dire sans placer la
langue trop vers l'arrière.

LA DISCRIMINATION

On peut procéder comme dans l'unité 2 et proposer le jeu
de «Pigeon vole» en se servant des mots présentés en
début d'activité et de distracteurs (mots déjà connus et
comportant des sons que les enfants, selon leur langue
maternelle, ont tendance à confondre).

L'ÉCOUTE

Faire écouter l'enregistrement

Se servir des figurines pour présenter les éléments de la
comptine : pastilles de couleur (noir, blanc, vert, gris), petit,
grand, un papa et une maman.
Les disposer au tableau de feutre en face à face.
Pour «Ici» et «Là-bas» préparer 2 figurines avec, par
exemple, un point (ici) et une flèche (là-bas).

L'ARTICULATION

On peut procéder comme dans l'unité 2 et proposer le jeu
du train ou le jeu du kangourou.

LE RYTHME

Faire retrouver le rythme à partir des groupes de souffle.

/NOIR N'EST PAS BLANC.../

/Noir n'est pas blanc/
/Petit n'est pas grand/
/Vert n'est pas gris/
/Là-bas n'est pas ici/
/Ici n'est pas là-bas/
/Maman n'est pas papa/

L'INTONATION

Il est difficile de faire travailler l'intonation à partir de la cassette pour cette comptine parce que l'enfant qui dit le texte a choisi le style musical du «rap».
L'enseignant peut donner l'exemple d'une intonation parlée selon la courbe mélodique de la phrase affirmative.

Pour l'animation, on peut former des groupes de dix enfants qui recevront chacun une figurine.
Chacun devra réciter la partie de la comptine qui le concerne en s'adressant à l'enfant qui possède le mot (la figurine) «opposé».

E.1	Noir n'est pas	→ E.2	blanc
E.3	Petit n'est pas	→ E.4	grand
E.5	Vert n'est pas	→ E.6	gris
E.7	Là-bas n'est pas	→ E.8	ici
E.8	Ici n'est pas	→ E.7	là-bas
E.9	Maman n'est pas	→ E.10	papa

PAGE 46-47

Qu'est-ce qu'il aime ?

PRÉSENTATION DU LEXIQUE

Présenter les animaux inconnus (lion, oiseau, escargot, chien).
Faire reconnaître les autres animaux déjà vus (coccinelle, éléphant, chat, chien, souris, poule) et les aliments (cerises, riz, lait, viande, bananes, citrons, bonbons, fromage, glace, tomates, salades).

Organiser un jeu de Kim.

ACTIVITÉ DE PRODUCTION ORALE

Former cinq équipes : A-B-C-D-E.
L'enseignant affiche au tableau de feutre un animal.
Chaque équipe a une minute pour se préparer et trouver un maximum d'éléments possibles.
Une fois la minute écoulée, l'enseignant demande à chaque équipe combien d'éléments elle peut nommer.
Celle qui en a trouvé le plus prend la parole la première. Chaque élève du groupe doit parler. On acceptera toute combinaison animal/aliment, même si elle est fantaisiste. Seules les formes linguistique et phonétique doivent être respectées. Pour chaque production, l'équipe marque 1 point si la forme linguistique est correcte, et un autre point si la forme phonétique est également correcte. Si les deux formes sont correctes, elle marque deux points. L'enseignant doit donc être très exigeant sur cette correction.
Les autres équipes prennent ensuite la parole à tour de rôle selon les mêmes règles.
Les scores sont inscrits dans le tableau.

Dans l'exemple donné, la production linguistique est correcte, l'équipe marquera trois points. Elle marquera trois autres points si la production phonétique est aussi correcte.

P. Former cinq équipes : A – B – C – D – E
Chaque équipe doit trouver le maximum d'aliments. Allez-y. (...)
Qu'est-ce que l'éléphant aime ?
Combien d'éléments avez-vous trouvés ? Équipe A ? B ? C ? D ? E ?

Équipe A
E.1 Il aime les cerises
E.2 Il aime le chocolat
E.3 L'éléphant aime la glace (...)
Équipe B (...)

L'équipe qui à la fin de la partie aura marqué le plus de points aura gagné.

Cet exercice permet aux élèves les plus faibles de se préparer à prendre la parole sans trop de difficultés puisqu'ils auront entendu plusieurs fois les mêmes réponses.

Arthur le kangourou

PAGE **48**

Procéder comme précédemment.

Faire écouter en suivant les images.

Vérifier la compréhension.

P.	Est-ce qu'Arthur aime les citrons ?
E.1	Non, il n'aime pas les citrons. C'est Lucie.
P.	Lucie n'aime pas les bonbons!
E.2	Non ! Elle aime les bonbons… Et les glaces!
	(…)

On dispose maintenant d'un jeu de 20 cartes.
Faire tirer les cartes une par une comme pour les unités précédentes.

Faire exercer les 1re et 2e personnes.

E.1	Est-ce que tu aimes le fromage ?
E.2	Non, je n'aime pas le fromage.
(…)	

On peut jouer au jeu du Kangourou à partir du son [r].

Il prend un crayon (U1)
Il lit un livre (U2)
Il fait de la planche à roulettes (U2)
Lucie invite Arthur (U3)
Arthur va chez elle (U3)
Le lapin médecin vient le voir (U4)
Il doit rester trois jours au lit (U4)
Arthur aime le chocolat (U5)
Lucie, l'amie d'Arthur… (U5)
Elle n'aime pas les citrons (U5)

Si vous souhaitez aborder l'écrit vous trouverez un exercice page 120 du livre de l'élève et sa correction à la fin du guide pédagogique.

ACTES DE PAROLE

- Exprimer des sentiments, des humeurs
- Demander / donner des renseignements sur une personne

- Demander à quelqu'un de faire quelque chose

RÉALISATIONS LINGUISTIQUES

- Super ! Génial !
- Il a (une grosse moustache) Mon grand-père est (médecin) C'est moi ...
- Venez voir mon (album ...)

NOTIONS

- La localisation
- L'appartenance
- La cause
- Le présent

GRAMMAIRE

- À gauche, à droite, devant, derrière
- Mon, ma, mes, ton, ta, tes (reprise)
- Pourquoi ? Parce que ...
- Les verbes *regarder* et *s'appeler* aux 3 pers. sing. du présent

LEXIQUE

- La famille
- Les nombres de 20 à 90

PHONÉTIQUE ET INTONATION

- [s] et [z]

6

FIGURINES NOUVELLES

La maman de Sandrine,
le grand-père de Sandrine,
Nicolas, Chantal,
la maman de Julien,
le papa de Julien

49 à 56

Face A

Conseils pédagogiques

Pour commencer

Pour comprendre le dialogue, les enfants ont besoin de connaître les mots qui servent à désigner les membres de la famille.

Présenter au tableau de feutre les figurines des personnages à utiliser ou qui font partie d'une « famille » : Sandrine, la maman de Sandrine, le petit frère de Sandrine, la maman de Julien, la sœur de Julien (Chantal), le papa de Julien, Julien.

En les présentant, préciser qu'on peut dire aussi le père et la mère à la place de papa et maman.
Donner des exemples tirés des familles des enfants.

L'album de photos

Faire observer la B.D. Identifier les personnages qui regardent l'album (Sandrine, Éric, Julien, la maman de Sandrine). On peut aussi les retrouver sur l'affiche.
Faire des hypothèses, en langue maternelle, sur l'expression des personnages dans la dernière image (Éric et Julien rient et se moquent de Sandrine, Sandrine « fait la tête »).

Passer à l'écoute.

La musique qui introduit le dialogue est ponctuée de déclics d'appareils photo et d'exclamations d'admiration : « super, génial ».

Conseils linguistiques

P.   Voilà le papa de Julien.
         On dit aussi le père de Julien.

P.   E.1 est la sœur de E.2.

PAGE **50**

P.   Aujourd'hui, Sandrine montre son album de photos à ses copains.

L'ALBUM DE PHOTOS

SANDRINE	Éric, Julien, venez voir mon album de photos.
ÉRIC	Super !
JULIEN	Génial !
	Qui est-ce ?
MAMAN	C'est le grand-père de Sandrine.
JULIEN	Il a une grosse moustache.
SANDRINE	Mon grand-père est médecin. Là, il est devant sa voiture.
ÉRIC	Et là ?
SANDRINE	C'est mon petit frère Nicolas. Il joue au ballon avec moi.
	Julien, Éric... Regardez ! Là, c'est moi toute petite... avec mon grand-père.

Les belles photos

Réécoute . Contrôle de la compréhension orale

Après deux ou trois écoutes, demander aux enfants de retrouver les bonnes photos.

Les photos décrites dans l'enregistrement sont :
la 2 (Sandrine joue au ballon avec son petit frère Nicolas) ;
la 3 (Sandrine, toute petite, avec son grand-père) ;
la 6 (Le grand-père de Sandrine dans sa voiture).

Corriger ensemble

On peut suggérer aux enfants d'utiliser « parce que » pour justifier leur choix.

On pourra utiliser les autres photos de l'album (1, 4 et 5), les faire décrire et faire dire par les enfants en quoi elles sont différentes de celles entendues dans l'enregistrement.
1 – le grand-père de Sandrine est dans la voiture.
4 – Sandrine joue au ballon avec une amie.
5 – C'est Nicolas avec le grand-père.

Reconstitution du dialogue

Reconstituer le dialogue en s'appuyant sur les bonnes photos.

Jeu dramatique

Il peut donner aux enfants l'occasion de parler de leur propre famille.
Par groupes de deux, les enfants devront proposer un dialogue du même type que celui de l'enregistrement.
Ils pourront garder leurs noms et choisir un autre membre de la famille à la place du grand-père et du petit frère.

E.1 Sur la photo n° 1, le grand-père de Sandrine est dans la voiture. Dans la photo n° 6, il est devant (la voiture). (...)

Le Petit Chaperon rouge

Reprise du lexique
Activité de production orale

Les deux activités permettent de travailler sur la localisation.

Introduire les prépositions devant et derrière et les locutions « à droite » et «à gauche ».
Donner des exemples en se servant d'objets connus qui se trouvent dans la classe.

P. Regardez : Je suis derrière la porte.
E1 est à droite de E2.
E2 est à gauche de E1.

Faire travailler les enfants sur la page. Donner l'équivalent du Petit Chaperon rouge en langue maternelle.

Demander aux enfants de se préparer à dire où se trouve Lucie.
Ils pourront travailler à deux.

Ensuite, chaque binôme dira à voix haute quel dessin il a choisi et où se trouve Lucie.

Attention : le Petit Chaperon rouge est à la droite ou à la gauche de l'animal dessiné.

Faire jouer tous les enfants, si possible.
Il est utile que la même phrase soit produite et entendue plusieurs fois dans la classe.

P.	Regardez Lucie : elle est déguisée en Petit Chaperon rouge.

Lucie est derrière la voiture
    "   derrière l'arbre
    "   à gauche du chien
    "   à droite du chat
    "   devant la bicyclette
    "   (ou à gauche de la bicyclette)

E. 1	Où est Lucie ?
E. 2	Lucie est derrière la voiture. (...)

La voiture d'Arthur

ÉCOUTE . *ACTIVITÉ DE CONTRÔLE DE LA COMPRÉHENSION ORALE*

Faire écouter deux fois et corriger l'exercice

> ### LA VOITURE D'ARTHUR
>
> 1. Écris la lettre A à gauche de la voiture.
> 2. Écris la lettre B à droite de la voiture.
> 3. Écris la lettre C devant la voiture.
> 4. Écris la lettre D derrière la voiture.

On considère l'espace par rapport à Arthur.

Pour prolonger l'activité, organiser le jeu « Deux pas à droite ».
Il faut bander les yeux d'un enfant qui est guidé par un autre élève qui lui donne la consigne.

Introduire et mimer « en avant »

Chaque fois, la quantité de pas demandée peut varier.
Si on peut faire jouer les enfants au grand air ou dans une salle de gymnastique, on peut dessiner par terre un itinéraire à la craie et faire guider un enfant d'une équipe par les enfants de sa propre équipe.

L'équipe gagnante est celle qui fait parcourir sans fautes et le plus rapidement possible le parcours dessiné.

E1	Tu fais deux pas à droite (à gauche)
P.	Deux pas en avant

Maman zèbre

LES SONS [S] ET [Z]

Présenter au tableau de feutre les figurines comportant les sons retenus. On peut, bien sûr, ne retenir que les figurines déjà connues des enfants.

Pour prononcer correctement le son [s] de « Sandrine », appuyer légèrement la pointe de la langue contre les incisives inférieures en écartant les lèvres. Fermer la mâchoire et ne pas faire vibrer les cordes vocales.
Pour aider les enfants à bien articuler ce son, leur demander de « siffler » comme le fait le serpent, en veillant à ne pas faire vibrer les cordes vocales.

Pour prononcer correctement le son [z] comme dans « fusée » procéder comme pour l'articulation de [s], mais en faisant vibrer les cordes vocales.
Pour aider les enfants à bien articuler ce son, leur faire produire le son que produit un moustique et leur demander de poser une main sur leur cou pour sentir la vibration des cordes vocales.

LA DISCRIMINATION

On peut procéder comme dans l'unité 2 et proposer le jeu de «Pigeon vole» en se servant de mots présentés en début d'activité et de distracteurs . Attention : ne pas utiliser pour ce jeu des mots qui comportent les deux sons en même temps (cerise, ciseaux).

L'ÉCOUTE

Il s'agit d'une comptine assez longue et difficile.

/MAMAN ZÉBRE./

/Maman zèbre a peint tantôt :/
/des rayures sur son manteau./
/Elle a acheté/36 pots/
/Pour peindre tous ses marmots :/
/des rayures en rose en blanc/
/pour ses filles qui ont trois dents :/
/des rayures en rose en bleu/
/pour ses garçons aux yeux bleus./
/Comme voilà de beaux enfants !/
/dit papa zèbre en rentrant./

P. Alors, on peut les classer comment ? On entend le son [s] dans quel mot ? (E. 1); viens, choisis une figurine où tu entends [s] et place-la dans la bonne colonne. (...)

[s]	[z]
cerise	cerise
bicyclette	visage
ciseaux	ciseaux
sucre	maison
glace	oiseau
poisson	présentateur
salade	chaise
trousse	fusée
chaussettes	

On pourra retrouver dans l'illustration maman zèbre en train de peindre ses enfants (désignés dans la comptine par : « marmots », « filles », « garçons » ou « enfants »).
Elle peint les filles avec des rayures roses et blanches et les garçons, des rayures roses et bleues.
Faire retrouver combien on voit de filles (5) et de garçons (6).

L'INTONATION

Travailler comme dans les unités 1 et 2 en formant une ronde ou en faisant travailler les élèves à deux.

Pour animer la comptine, on peut répartir les rôles filles, garçons, papa et maman zèbre, et faire jouer la comptine à plusieurs voix.

P.	De quelles couleurs sont les rayures des filles ?
E.1	Roses.
P.	Combien de filles voyez-vous ?
E.1	Cinq. (...)
P.	Il y en a encore deux qui tiennent la corde mais on ne peut pas savoir si ce sont des filles ou des garçons.

Maman zèbre a peint tantôt :

des rayures sur son manteau/

Elle a acheté 36 pots

Pour peindre tous ses marmots :

des rayures en rose en blanc

pour ses filles qui ont trois dents ;

des rayures en rose en bleu

pour ses garçons aux yeux bleus.

Comme voilà de beaux enfants !

dit papa zèbre en rentrant.

La famille de Sandrine

Cette activité donne l'occasion à partir de la famille de découvrir les chiffres jusqu'à 90.

PRÉSENTATION DU LEXIQUE
ACTIVITÉ DE PRODUCTION ORALE

Introduire les dizaines (de 30 à 90) en se servant du tableau de la page 128 et de l'affiche.

On peut ensuite jouer au Colin-Maillard des chiffres.
Choisir, grâce à une comptine, celui qui « colle ».
Préparer des cartons sur lesquels on inscrira des nombres de 20 à 90, distribuer ces cartons à tous les élèves sauf à celui qui « colle ».

Bander les yeux de celui qui colle. Il se placera au milieu de la classe. Une dizaine d'élèves viendront successivement le toucher rapidement en disant par exemple «je suis le 27». Ils peuvent repasser plusieurs fois.

E. 2	Je suis le 27
E. 3	Je suis le 70
E. 4	...

Enlever le bandeau. Celui qui «colle» (E1) doit essayer de faire la liste des nombres et des élèves qui les ont dits.

Faire retrouver les personnages présentés en début d'unité. Travailler à partir de l'arbre généalogique.

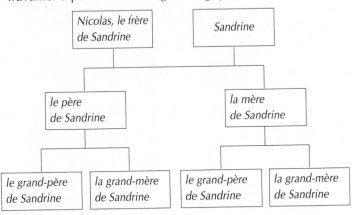

Demander ensuite aux enfants de se préparer à présenter la famille de Sandrine au complet.

En binôme, demander aux enfants de choisir chacun un personnage en dehors de Sandrine et de lui poser en alternant toutes les questions qu'ils savent poser.

On peut profiter de l'occasion pour demander où se trouvent les différents personnages et ce qu'ils font, en respectant les connaissances préalables des enfants.
(Les enfants et les parents sont sur ou dans l'arbre, les grands-parents paternels sont sous ou devant l'arbre...)

Les personnages mystérieux

ÉCOUTE . ACTIVITÉ DE CONTRÔLE DE LA COMPRÉHENSION ORALE

Demander aux enfants de retrouver les « personnages mystérieux » grâce à la description enregistrée. Ils devront inscrire le chiffre correspondant.

> ## LES PERSONNAGES MYSTÉRIEUX
>
> 1. Il est vieux, il a une grosse moustache. Qui est-ce ?
> 2. Elle a 8 ans, elle porte des lunettes. Qui est-ce ?
> 3. Il est petit, rond et tout doux. Qui est-ce ?
> 4. Il a 9 ans, il a les cheveux noirs et il habite 10, rue de la Poste. Qui est-ce ?

E. 1 Le 27, c'est ... (E.2)
E. 2 C'est vrai
E. 1 Le 70, c'est (E.6).
E. 6 Non c'est pas vrai / c'est faux
E. 1 Alors, c'est ...

P. Qui est-ce ?
Voilà le grand-père de Sandrine.

P. Sandrine a un petit frère, un papa et une maman, deux grand-pères et deux grand-mères.

E. 1 Quel âge as-tu ? Tu habites où ? Comment tu t'appelles ?
E. 2 J'ai 70 ans. Je m'appelle ... J'habite ...

P. Où est le père de Sandrine ?
E. 1 Il est dans l'arbre.
P. Qu'est-ce que fait le grand-père de Sandrine ?
E. 2 Il lit un livre.

PAGE 55

Corriger ensemble :

1 Grand-père, 2 Sandrine, 3 Chat, 4 Julien

Ma famille

ACTIVITÉ DE PRODUCTION ORALE

Demander aux enfants de dessiner les membres de leur famille.

Les dessins pourraient être reproduits sur de grandes feuilles et les enfants pourront les afficher dans la classe.

Chaque enfant présentera oralement un membre de sa famille devant les autres en ajoutant un ou plusieurs éléments descriptifs.
Les autres enfants devront alors indiquer quel est le dessin qui correspond.

Arthur le kangourou

Procéder comme d'habitude.

On dispose maintenant d'un jeu de 24 cartes. Pour le jeu du kangourou, ajouter les sons [s] et [z].

[s]
Il dessine (U1)
Lucie invite Arthur (U3)
Lucie se cache sous la table (U3)
Mais où est donc Lucie ? (U3)
Le lapin médecin vient le voir (U4)
Il doit rester trois jours au lit (U4)
Lucie aime les glaces (U5)
Elle n'aime pas les citrons (U5)
Il regarde son album de photos (U6)
Le grand-père d'Arthur a une grosse moustache (U6)
La petite sœur d'Arthur s'appelle Alice (U6)

[z]
Arthur va chez elle (U3)

P.	Qui est le personnage numéro 1 ?
E.1	C'est le grand-père de Sandrine.
P.	Pourquoi ?
E.3	Et il a une grosse moustache.

PAGE **55**

P.	Vous allez dessiner votre famille.
P.	Voilà une grande feuille.
E.1	Elle est grande, elle a des lunettes, elle a les cheveux noirs, qui est-ce ?
E.2	C'est ta grand-mère (...)

PAGE **56**

Si vous souhaitez aborder l'écrit vous trouverez un exercice page 120 du livre de l'élève et sa correction à la fin du guide pédagogique.

B.D.

- Exprimer des sentiments, des humeurs
- Demander / donner des renseignements sur une personne ou un objet
- Demander à quelqu'un de faire quelque chose

ACTIVITÉS

- Les adjectifs possessifs
- Dire ses préférences
- Lexique

ARTHUR LE KANGOUROU

- Les 3 personnes du singulier au présent

POUCE 2

57 à 60

Face A

Que disent-ils ?

PAGE **57**

CONTRÔLE DU LEXIQUE ET DE LA COMPÉTENCE DE COMMUNICATION

Procéder comme dans le POUCE 1.
La page reproduit quatre séquences extraites des bandes dessinées des unités précédentes (pages 34, 42 et 50).
Utiliser l'enregistrement à la fin de l'activité.

> ### QUE DISENT-ILS ?
>
> **Unité 4**
> **SANDRINE**   Maman, j'ai mal à la tête.
>
> **Unité 5**
> **JULIEN**   Sandrine, Sandrine, regarde, j'ai un cadeau pour toi !
> **SANDRINE**   C'est petit... c'est rond... c'est léger... c'est un ballon !
> **JULIEN**   Mais non ! Tu es bête ! Je vais t'aider, c'est un animal.
>
> **Unité 6**
> **SANDRINE**   Éric, Julien, venez voir mon album de photos.
> **ÉRIC**   Super !

Jeu de l'oie

PAGE **58**

CONTRÔLE DE L'EMPLOI DES ADJECTIFS POSSESSIFS

Ce jeu se joue en binômes, avec deux dés. Les cases rouges entraînent des productions à la forme négative, les cases vertes à la forme affirmative.

Le premier binôme lance les deux dés. Il tombe, par exemple, sur la case verte qui représente une trousse.

Exemple

E.1   Est-ce que c'est ta trousse ?
E.2   Oui, c'est ma trousse !

Il continue à jouer jusqu'à ce qu'il tombe sur une case de couleur différente (dans l'exemple, une case rouge).

Exemple

E.1   (Est-ce que) c'est tes bonbons ?
E.2   Non, c'est tes bonbons !

Pour terminer la partie, il faut qu'une équipe tombe exactement sur la case arrivée. Si le chiffre obtenu par les dés est trop élevé, on recule du nombre de cases nécessaires. Exemple : si on se trouve à trois cases de l'arrivée et qu'on tire un 7, on avance de trois cases et on recule de quatre cases.

Si au bout de trois tours le binôme n'est toujours pas tombé sur une case de couleur différente, il a un gage = il doit répéter les trois dialogues qu'il a déjà produits, à la forme négative.

Exemple

E.1   Est-ce que c'est ta trousse ?
E.2   Non, c'est ta trousse !

Le deuxième binôme joue ensuite selon les mêmes règles.

J'aime... je n'aime pas...

PAGE **59**

CONTRÔLE DU LEXIQUE

Ce jeu se joue en binômes avec les huit aliments représentés.

Faire travailler à partir de la page.

La réponse du deuxième élève doit respecter la disposition des aliments dans la page selon qu'ils sont dans la partie marquée d'un cœur ou d'un cœur barré.

E.1   Tu aimes les cerises ?
E.2   Oui, j'aime les cerises.

E.1   Tu aimes le lait ?
E.2   Non, je n'aime pas le lait.

Pour prolonger le jeu, on peut demander à chaque élève de dessiner dans l'une ou l'autre moitié de la page des aliments selon ses préférences. Ensuite, dans chaque binôme, les élèves se posent des questions pour connaître leurs préférences. Ils jouent devant la classe.

Exemple

E.2   Tu aimes la salade ?
E.1   Oui, j'aime la salade.

E.1   Tu aimes les oranges ?
E.2   Non, je n'aime pas les oranges.

On peut aussi faire la même activité avec des figurines.

Que fait Arthur ?

CONTRÔLE DU LEXIQUE ET DE LA COMPÉTENCE DE COMMUNICATION

Procéder comme dans le POUCE 1.

> ### REGARDE ARTHUR LE KANGOUROU !
>
> U4 – Il est malade
> U4 – Le lapin médecin vient le voir
> U6 – Il regarde son album de photos
> U5 – Il n'aime pas le fromage.

On se sert de l'enregistrement pour la correction à la fin de l'activité.

ACTES DE PAROLE

- Demander/donner des renseignements sur le temps
- Exprimer des sentiments, des humeurs
- Donner des renseignements sur une personne

RÉALISATIONS LINGUISTIQUES

- Quel temps fait-il ? Il pleut, il fait beau...
- Tu es beau ! Tu es belle !
- Il est jeune ! Elle est vieille ! ...

NOTIONS

- Le pluriel
- La qualité
- Le temps atmosphérique
- Les saisons

GRAMMAIRE

- Les verbes *mettre*, *faire*, *prendre* et *aller* aux 3 pers. plur. du présent
- Masculin / féminin des adjectifs

LEXIQUE

- Les vêtements
- Les saisons
- Le temps (atmosphérique)
- Adjectifs descriptifs

PHONÉTIQUE ET INTONATION

- [f] et [v]

TEXTES ENREGISTRÉS

PAGE 62 → BD
On se déguise !

PAGE 65 → Comptine
Les quatre saisons

PAGE 67 → Activité
Un drôle de château

PAGE 68 →
Arthur le kangourou

FIGURINES

Été, automne, hiver, printemps
Il fait beau, il fait mauvais,
il pleut, il neige,
il fait froid, il fait chaud

Un bonnet, des bottes,
des chaussettes, des chaussures,
une écharpe, des gants,
un imperméable, une jupe,
des lunettes de soleil,
un maillot de bain,
un pantalon, des sandales,
un short, un tee-shirt,
une veste

Jeune, vieux/vieille, gentil(le),
méchant(e), laid(e), beau/belle

7

61 à 68

Face B

Conseils pédagogiques

Pour commencer

Avant d'ouvrir le livre, présenter les deux thèmes lexicaux qui apparaissent dans le dialogue : le temps qu'il fait et les vêtements.

Regarder par la fenêtre et dire le temps qu'il fait. Mettre la figurine correspondante au tableau de feutre.

Présenter au tableau de feutre deux autres figurines « temps ».

Demander aux élèves de nommer les figurines.

Présenter ensuite quelques figurines de vêtements au tableau de feutre. Les enfants ont besoin de reconnaître au moins les éléments suivants pour aborder le dialogue de la B.D. : des chaussures, une jupe, une veste, un chapeau, un pantalon, un manteau. On peut ajouter un ou deux éléments pris dans la liste des figurines de cette unité.

Demander aux enfants de nommer les vêtements.

Pour fixer le lexique, organiser un jeu de Kim.
(voir unité 1)

On peut faire jouer en mimant un vêtement qu'on enfile.

On se déguise !

Faire observer la B.D.
On peut présenter la situation en langue maternelle ou en français (il pleut, les enfants s'ennuient. Ils vont au grenier et découvrent une malle de vêtements. Ils se déguisent).

On peut également faire imaginer à partir des dessins, en langue maternelle, ce qui se passe.

Passer à l'écoute. La musique qui introduit le dialogue évoque la pluie qui tombe, puis le beau temps qui revient. Elle peut traduire aussi l'ennui des enfants qui disparaît lorsqu'ils trouvent de quoi s'amuser.

Conseils linguistiques

P. *Regardez, aujourd'hui il pleut (il fait beau...)*

P. *Regardez, là, il fait beau (...)*
Et là ? En français, on dit « il pleut »

P. *Quel temps fait-il ?*
E. *Il pleut (il fait beau...).*

P. *Regardez, voilà un pantalon (une jupe, une veste...).*

P. *Qu'est-ce que c'est ?*
E. *C'est une jupe (une veste...).*

P. *Nous allons jouer au jeu de Kim. Fermez les yeux. Voilà. Maintenant, qu'est-ce qui manque ?*

P. *Qu'est-ce que c'est ?*
Qu'est-ce que je mets ?
E. *C'est un pantalon.*

PAGE **62**

P. *Alors, qu'est-ce qui se passe ? Regardez, il pleut, nos amis s'ennuient. Que vont-ils faire ? (...)*

P. *Nous allons écouter. Est-ce que l'histoire que nous avons imaginée est vraie ?*
ou *Est-ce que c'est vrai ?*
ou *Est-ce que nous avons raison ?*

La situation choisie – le déguisement – va permettre aux enfants de jouer avec les noms de vêtements sans être obligés de se plier au réalisme.

ON SE DÉGUISE

Julien	Zut! Il pleut. Qu'est-ce qu'on fait ?
Sandrine	J'ai une idée! Nous allons nous déguiser.
Julien	Regarde… des chaussures rouges… une jupe longue… une veste blanche… un grand chapeau… c'est pour toi!
Sandrine	Et pour toi… un pantalon jaune… un manteau noir et un parapluie. Attends! Je dessine une barbe et des moustaches.
S & J	Voilà, nous sommes monsieur et madame Barbenoire!
Sandrine	Maman, viens voir!
Maman	Tu es beau, Julien!
Sandrine	Et moi ?
Maman	Toi aussi, tu es belle.

Après la première écoute, faire identifier les voix.

Deuxième écoute. Faire repérer les mots connus ou reconnus. Si on travaille avec l'affiche, demander à un enfant de montrer les éléments qu'il a reconnus.

Les élèves n'ont peut-être pas compris tout le dialogue.
La page de vérification suivante va les aider.

Ils sont beaux

RÉÉCOUTE . CONTRÔLE DE LA COMPRÉHENSION ORALE

La page de contrôle propose six dessins représentant Sandrine ou Julien dans des déguisements différents. Il faut retrouver « le » Julien et « la » Sandrine correspondant à l'enregistrement.
L'enseignant pourra tracer au tableau le schéma suivant afin de faciliter le contrôle. Il reprend l'emplacement des différentes images sur la page 63. Numéroter ces images.

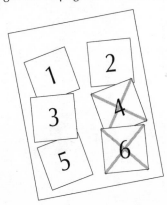

P.	*Écoutez bien !*
P.	*Qui parle ?*
E. 1	*Sandrine et Julien.*
E. 2	*Et la maman de Sandrine.*
P.	*Quels mots avez-vous compris ?* *Vous avez compris quels mots ? (…)* *Quel temps fait-il ?*
E.	*Il pleut !*
P.	*Que font Sandrine et Julien ?*
E.	*Ils se déguisent. (…)*

PAGE

P.	*Nous allons écouter encore une fois et vous allez retrouver les bonnes images.*

Le «bon» Julien est l'image n° 4. Il a un pantalon jaune, un manteau noir, un parapluie, une barbe et des moustaches.
La «bonne» Sandrine est l'image n° 6. Elle a des chaussures rouges, une jupe longue, une veste blanche et un grand chapeau.

Les élèves cochent individuellement les images qui correspondent à la description des dialogues.

Les cadrages choisis dans la B.D. ne permettent pas de trouver les bonnes images uniquement à partir d'indices visuels. On fera donc réécouter le dialogue autant de fois qu'il sera nécessaire. Pour trouver les bonnes réponses, les enfants doivent suivre attentivement l'ordre dans lequel les vêtements sont décrits. Cela leur permettra de procéder par éliminations successives.

Corriger ensemble. Revenir à l'enregistrement pour vérifier les réponses des élèves, qu'elles soient bonnes ou mauvaises.
Par exemple, pour Sandrine, on cherche d'abord les images où elle a des chaussures rouges (3 et 6), puis une jupe longue (3 et 6 également), une veste blanche (3 et 6), enfin un grand chapeau (6). Pour Julien, c'est la barbe et la moustache qui feront la différence entre les images 4 et 5 après qu'ils aient éliminé l'image 1 à cause du pantalon rouge et de l'absence de manteau.

On pourra demander aux enfants de décrire les autres images, et dire pourquoi ce ne sont pas les bonnes.

RECONSTITUTION DU DIALOGUE

Les enfants doivent retrouver les phrases dites par les différents personnages.
Faire travailler l'intonation.

JEU DRAMATIQUE

Je me déguise.
À partir du dialogue enregistré, les enfants vont jouer sur le thème du déguisement. Ils pourront choisir d'autres vêtements, d'autres couleurs, d'autres objets et terminer

---

P. *Mettez une croix sur les bonnes images.*

P. *Nous allons corriger ensemble. Quelles images as-tu choisies ? Quelle est la bonne image de Sandrine ?*
E. *C'est l'image 6.*
P. *Pourquoi ? Que porte Sandrine ?*
E. *Des chaussures rouges.*
P. *Bien ! Et quoi encore ?*
E. *Un grand chapeau.*
P. *Elle a des lunettes ?*
    On écoute encore une fois. (…)
    Bravo ! Et pour Julien, quelle est la bonne image ? (…)

P. *Alors ! pourquoi ce n'est pas l'image 1 ?*
    Comment est déguisé Julien ?
    Qu'est-ce qu'il porte ?
E. *Un pantalon rouge,*
    un grand chapeau. (…)

P. *Que dit Julien ? (…)*
    C'est tout ce qu'il dit ?
    Il dit autre chose ? (…)
    Voilà, bravo. C'est bien.
    Il manque encore quelque chose. (…)
    Ça y est, c'est ça.
    Écoute bien, dis-le comme Sandrine.

leur dialogue en interpellant un troisième personnage qui peut être un adulte ou un enfant. Ils utiliseront éventuellement les figurines.

Former des groupes de trois. Leur laisser quelques minutes pour se préparer. Inviter quelques groupes à se produire devant les autres.

PAGE 64

P. *Vous trois, vous jouez pour nous. Allez-y, à vous! Commencez!*

Quel temps fait-il ?

Dans cette page, on met en relation des vêtements et le temps qu'il fait.

PRÉSENTATION DU LEXIQUE

Faire retrouver dans la page les vêtements déjà connus. Présenter les autres vêtements en utilisant les figurines.

1 un tee-shirt **9** des lunettes de soleil

2 des gants **10** des chaussettes

3 un pull **11** un short

4 une veste **12** des sandales

5 une écharpe **13** une jupe

6 un imperméable **14** des bottes

7 un bonnet **15** des chaussures

8 un pantalon **16** un maillot de bain

Pour fixer tous ces éléments lexicaux, on peut faire un jeu de Kim avec les figurines.

Compléter également la présentation du temps avec les autres figurines. Trois expressions au moins ont été présentées au début de l'unité.

il pleut   il fait mauvais

il neige   il fait froid

il fait beau   il fait chaud

MISE EN RELATION DES ÉLÉMENTS DE LA PAGE

Demander aux élèves d'observer la page et de mettre en relation le temps et les vêtements. Les élèves inscrivent les numéros des vêtements dans les cases qui se trouvent sous les illustrations « temps ». Un exemple est donné.

Corriger en posant des questions à différents élèves.

On acceptera toutes les réponses plausibles, par exemple :
il pleut → 3 / 6 / 8 / 10 / 14
il neige → 2 / 3 / 4 / 5 / 7 / 10 / 14
il fait beau → 1 / 9 / 11 / 12
il fait mauvais → 3 / 5 / 6 / 8 / 10 / 14
il fait froid → 2 / 3 / 5 / 7 / 8 / 10 / 15
il fait chaud → 1 / 9 / 12 / 13 / 16

ACTIVITÉS DE PRODUCTION ORALE

Je m'habille.
Par groupe de deux, les élèves se posent des questions. Celui qui pose la question choisit le temps. Après quelques minutes de jeu en binôme, on peut passer à la mise en commun.

Aujourd'hui, quel temps fait-il ?
Demander à un élève de décrire son (sa) voisin(e) de classe. Comment est-elle habillée aujourd'hui ? L'élève commencera par dire le temps qu'il fait aujourd'hui. Le voisin prendra la parole à son tour pour décrire l'élève suivant.

Les quatre saisons

LES SONS [f] ET [v]

Proposer des mots, qui existent sous forme de figurines, présentant les sons à faire travailler.

Pour bien prononcer le son [f] comme dans « fusée », appuyer nettement la lèvre inférieure contre les incisives supérieures. Un peu d'air doit passer entre les lèvres et les dents. Les cordes vocales ne vibrent pas.
Pour aider les enfants à bien articuler ce son, les inviter à « souffler » comme un vent léger.

P. *Vous choisissez les vêtements qui vont avec le temps.*
Regardez l'exemple. Il pleut, je mets un imperméable. J'écris donc 6 dans la case. Quand il pleut, qu'est-ce que je mets encore ? À vous ! Écrivez les numéros dans les cases.

P. *Qu'est-ce que tu as écrit sous l'image « il fait beau » ?*
E. 1 *J'ai écrit 9, 11 et 12.*
P. *Alors, quand il fait beau, qu'est-ce que tu mets ?*
E. 1 *Je mets des lunettes de soleil, un short et des sandales.*
P. *Et toi ?*
E. 2 *Je mets une jupe, un tee-shirt et des lunettes de soleil. (...)*

E. 1 *Il fait beau, qu'est-ce que tu mets ?*
E. 2 *Un maillot de bain.*
E. 1 *Il fait froid, qu'est-ce que tu mets ?*
E. 2 *Un maillot de bain.*
P. *Tu mets un maillot de bain quand il fait froid ? Réfléchis !*

E. 1 *Aujourd'hui, il fait mauvais. Tu as un pantalon, un pull (...).*

PAGE **65**

P. *Regardez les figurines que je mets au tableau. Vous connaissez tous ces mots. (...)*
avion, éléphant, il fait froid, feuille de papier, fille, fromage, fusée, hiver, livre, vert, veste, viande, violet, voiture.

Pour prononcer correctement le son [v] de «voiture», partir du son [f] de «éléphant». Appuyer nettement la lèvre inférieure contre la lèvre supérieure. Les cordes vocales vibrent.
Pour aider les enfants à articuler correctement ce son, leur demander de mordre légèrement la lèvre inférieure.

Présenter les figurines retenues au tableau de feutre et les faire classer en deux ensembles selon que les mots contiennent les sons [f] ou [v].

LA DISCRIMINATION

Pour aider les enfants à bien faire la différence entre les sons [f] et [v], jouer à «pigeon vole».
Dire le phonème sur lequel on va travailler et donner un ou deux exemples (voir unité 2).

L'ÉCOUTE

Présenter les cartes des saisons au tableau de feutre.

printemps   été   automne   hiver

Faire écouter la comptine

Faire observer la page, puis faire retrouver les saisons à travers les éléments qui illustrent chacune d'elles.
Pour animer la comptine, distribuer les figurines des saisons à quatre élèves et demander à chacun d'eux de retrouver la strophe correspondant à la carte qu'il détient.

L'ARTICULATION

Demander aux enfants de retrouver dans la comptine des mots où l'on entend les sons [f] ou [v] : *vive, fruits, ouvre, voilà, hiver, vent.*

Organiser un jeu du corbillon ou un jeu du train (voir unité 2).

Alors! On peut les classer comment?

[f]	[v]
fille, fromage, feuille de papier, fusée, il fait froid, éléphant	avion, livre, veste, viande, voiture, violet, vert, hiver

P.   *Écoutez la comptine.*
Qui veut la mimer / la réciter / la jouer?

P.   *Attention! On ne dit pas «...».*
Regarde-moi bien.
Fais comme moi... Voilà.

LE RYTHME

Faire retrouver le rythme à partir des groupes de souffle indiqués entre deux barres obliques / .... /
Les accents indiqués suivent très exactement le rythme choisi par l'enfant qui dit la comptine.

/ Les quatre saisons /

/ Vive l'été ! /
/ Il y a des fruits
À ramasser. /

/ Tiens, / l'automne ! /
/ J'ouvre mon parapluie
Et croque une pomme. /

/ Voilà l'hiver ! /
/ Vent, gel, pluie
Et courants d'air. /

/ Au printemps, /
/ Soleil et pluie
Se disputent en riant. /

L'INTONATION

Former une ronde. Les enfants se donnent la main et balancent les bras tous ensemble en suivant la courbe mélodique de la phrase.
Terminer cette activité en faisant jouer la comptine à plusieurs voix. Constituer quatre groupes de deux élèves. Donner à chaque groupe une figurine « saison ». L'élève qui a la figurine « été » commence la strophe, le second de ce binôme la termine. Le deuxième binôme prend le relais...

Pour finir, demander aux enfants d'illustrer la comptine par des dessins qui évoquent pour eux les saisons en France si cette réalité est loin de celle de leur pays. Leur faire illustrer les saisons telles qu'elles se caractérisent chez eux et les faire comparer.

E. 1 *Vive l'été !*

E. 2 *Il y a des fruits à ramasser.*

E. 3 *Tiens, l'automne !*

E. 4 *J'ouvre mon parapluie et croque une pomme.*

E. 5 *Voilà l'hiver !*

E. 6 *Vent, gel, pluie et courants d'air.*

E. 7 *Au printemps,*

E. 8 *Soleil et pluie se disputent en riant.*

Le jeu des familles

PAGE 66

La page met en scène Arthur et Lucie qui jouent au jeu des familles.
La famille a déjà été présentée à l'unité 6, les noms des différents membres sont donc connus. On aura besoin ici des mots suivants : le père, la mère, le fils, la fille.
Le jeu de cartes comporte plusieurs familles identifiées par un symbole, et chaque famille comprend plusieurs membres. On distribue toutes les cartes lorsqu'on joue à plus de deux, mais seulement quatre cartes à chaque joueur si on y joue à deux. Les cartes restantes sont retournées sur

la table et constitue « la pioche ». L'objectif du jeu est de se constituer des familles complètes. Un joueur commence en demandant à l'autre joueur une carte. Si celui-ci l'a, il la donne et le demandeur continue. S'il ne l'a pas, le demandeur « pioche » une carte. Si la carte « piochée » est celle demandée, il continue, sinon, il passe son tour à l'autre joueur. Celui qui gagne est celui qui réussit à se constituer le plus grand nombre de familles complètes.

En règle générale, un jeu de familles comprend 7 familles de 6 cartes chacune. Ici, le jeu a été simplifié. Il est constitué de quatre familles (été, automne, hiver, printemps) qui comprennent chacune quatre cartes (le père, la mère, le fils et la fille).

IDENTIFICATION DES CARTES

Faire retrouver les symboles des saisons en les faisant dessiner au tableau, par exemple.

| été | automne | hiver | printemps |

Ces symboles sont dessinés côte à côte sur la boite du jeu de cartes posée sur la table.

ACTIVITÉS DE PRODUCTION ORALE

Sortir et afficher au tableau de feutre les figurines des saisons d'un côté et celles de « fille » (pour la fille), de « garçon » (pour le fils), du père et de la mère de Julien (pour le père et la mère) de l'autre.

Dans le livre de l'élève, les cartes du jeu d'Arthur et de Lucie sont numérotées. Faire repérer la carte « 1 » et demander à un élève de venir au tableau et de grouper les figurines correspondantes, puis de dire le nom de la carte ainsi obtenue. Proposer la carte « 2 », et ainsi de suite. En procédant ainsi, on évite de faire repérer tout de suite la carte cachée.

1. mère / hiver
2. père / printemps
3. fils / printemps
4. fille / printemps
5. mère / printemps
6. fille / été
7. fils / été
8. mère / été
9. père / été
10. mère / automne
11. fils / automne
12. père / automne
13. fille / automne
14. fils / hiver
15. fille / hiver

Quelles sont les cartes d'Arthur ?
Quelles sont les cartes de Lucie ?

P. *Je dessine ceci (un nuage).*
Vous reconnaissez la saison ?
C'est quelle saison ?
Quelle saison est-ce ?

E. 1 *C'est l'automne.*
(...)

P. *La carte « 1 », qu'est-ce que c'est ?*
Prends les deux figurines.

E. 1 *C'est la mère de la famille automne.*

P. *Et la carte « 2 », qu'est-ce que c'est ?*

E. 2 *C'est le père de la famille automne.*

P. *Tu crois ? Regarde bien. C'est le père, mais ce n'est pas l'automne. Prends les figurines. Alors, regarde. Quelles figurines as-tu choisies ? Qu'est-ce que c'est alors ?*

E. 2 *C'est le père de la famille printemps.*
(...)

P. *Tu es Arthur, et toi Lucie. Quelles cartes as-tu ? Et toi ?*

Travailler en groupe de deux. Dans chaque groupe, l'un doit énumérer les cartes d'Arthur et l'autre celles de Lucie.

Mise en commun avec toute la classe. Dessiner une grille au tableau pour écrire les résultats.

	été	automne	hiver	printemps
père	L	A	Ø	L
mère	L	A	L	L
fils	L	A	A	L
fille	L	A	A	L

A = Arthur / L = Lucie

On peut prolonger l'activité en faisant fabriquer un jeu de cartes par la classe. Les élèves peuvent caractériser les familles en reprenant les mêmes symboles que le jeu d'Arthur et Lucie.

P. *Arthur a combien de cartes ? Il a une famille complète ? Laquelle ?*
Et dans la main, il a quelles cartes ?
Et Lucie ? Quelles familles complètes a-t-elle ?
Qui a la mère de la famille automne ?
E. *C'est Lucie !*
P. *Et qui a le fils et la fille de la famille automne ?*
E. *C'est Arthur !*
P. *Alors, quelle est la carte cachée ?*
E. *C'est le père de la famille hiver.*
P. *Bravo ! Et à votre avis, qui va gagner ?*

P. *On va fabriquer un jeu de cartes. Vous quatre, vous préparez la famille hiver, vous la famille printemps. (...). Voilà des cartons. Vous dessinez, vous coloriez, et vous découpez... Maintenant, pour jouer aux familles, vous pouvez dire...*
E. 1 *Dans la famille hiver, je veux la mère. ou je demande la mère.*
E. 2 *Tiens.*
E. 1 *Et le père ? (...)*

Un drôle de château

Cette page va faire travailler sur les adjectifs descriptifs.

PRÉSENTATION DU LEXIQUE

Les six dessins de la frise en haut de la page sont reproduits dans les figurines. Ils symbolisent un adjectif au masculin ou au féminin. On utilisera donc indifféremment une carte quel que soit le genre.
Présenter ces adjectifs au tableau de feutre :

jeune / jeune

gentil / gentille

vieux / vieille

beau / belle

laid / laide

méchant / méchante

On peut expliquer qu'en français, les adjectifs ont souvent deux formes différentes pour le masculin et le féminin. La forme du féminin est souvent plus longue et comporte des sons en plus.

Distribuer les figurines « adjectifs » à quelques élèves et demander à chacun de dire ce qu'il est.

ÉCOUTE . CONTRÔLE DE LA COMPRÉHENSION

Présenter en français les quatre personnages de l'illustration : le prince et la princesse dans le château, la sorcière dans le ciel sur son balai et le sorcier. Ils correspondent aux stéréotypes des contes de fée. La sorcière est toujours laide, vieille et méchante ; la princesse est toujours jeune, belle et gentille, etc.

Afficher au tableau de feutre trois figurines « adjectif » qui ne soient pas des qualificatifs contraires (vieux et jeune, par exemple). Mettre aussi une des deux figurines « garçon » ou « fille ». Demander à un enfant de dire comment il / elle est.

Renouveler l'exercice en changeant une ou plusieurs cartes.

Faire écouter. L'enregistrement propose six adjectifs numérotés. Il y a deux cases à remplir à côté de chacun des personnages de l'illustration. Les élèves doivent les compléter avec les numéros qui correspondent aux personnages. Attention au genre ! Certaines cases resteront vides.

> **Un drôle de château**
>
> 1. Elle est jeune
> 2. Elle est gentille
> 3. Elle est vieille
> 4. Il est beau
> 5. Il est laid
> 6. Elle est méchante

Corriger ensemble.
La princesse : 1 et 2   Le prince : 4
La sorcière : 3 et 6   Le sorcier : 5

P. *Il est jeune et elle est jeune, c'est pareil. Il est joli et elle est jolie. On entend la même chose. Il est laid, mais elle est laide. Il est gentil, mais elle est gentille. Il est vieux, mais attention ! Elle est vieille. On dit il est beau, mais elle est belle.*

E. 1 *Je suis jeune.*
E. 2 *Je suis méchant(e).*
E. 3 *Je suis gentil(le). (...)*

P. *Dans le château, il y a un prince et une princesse. À côté, il y a un sorcier et dans le ciel, il y a une sorcière.*

P. *Alors, elle est comment ?*
E. 1 *Elle est vieille, laide et gentille.*

P. *Et là, elle est comment ?*
E. 2 *Elle est jeune, belle et gentille (...)*

P. *Écoutez bien. Écrivez le numéro à côté du bon personnage.*

L'enregistrement n'a pas utilisé tous les adjectifs introduits au début de la page. Faire trouver par les élèves les autres adjectifs que l'on peut attribuer à chaque personnage.

P. On a dit, tout à l'heure,
que la sorcière est vieille et méchante.
On peut dire autre chose encore ?

E. Oui, elle est laide, aussi.

P. Très bien ! Et la princesse, elle est comment ? Elle est laide ?

E. Non, elle est belle.

P. Alors, elle est jeune, gentille et belle. Le prince aussi ? On dira comment ?

E. Il est jeune, gentil et beau.

P. Et comment est le sorcier ? (...)

Arthur le kangourou

PAGE **68**

Faire écouter en suivant les images.

P. Voilà Arthur et Lucie.
Attention, écoutez bien,
qu'est-ce qu'ils font cette fois-ci ?

Vérifier la compréhension.
Deux élèves viennent devant la classe. L'un est Arthur et l'autre est Lucie. Choisir une action et leur demander de la mimer.

P. Vous deux, venez ici. Vous mimez Arthur et Lucie. Écoutez bien.
Ils font du ski. (...) C'est bien !
ou bien Non, attention, ce n'est pas ça. Qui veut mimer ?

Poser quelques questions autour des illustrations pour réactiver les acquis.

P. Pourquoi est-ce qu'ils mettent un bonnet et des gants ? (...)
Il neige. C'est quelle saison ? (...)
Il fait froid. Ils vont à la piscine ? (...)
Il pleut. Ils mettent des gants ? (...)
Ils vont à la piscine. Qu'est-ce qu'ils mettent ? (...)

Distribuer les quatre nouvelles cartes « Arthur ». Faire tirer une carte par un élève.

P. Quel temps fait-il ?
E. 1 Il fait froid.
P. Qu'est ce qu'ils font ?
E. 1 Ils font du ski. (...)

Pour exercer la 1ère et la 2ème personnes, on peut jouer différemment en formant des binômes. Chaque binôme tire une carte.

P. Tirez une carte.
E. 1 Qu'est-ce que tu fais ?
E. 2 Je fais du ski.

Prolonger cette activité par un jeu de mime.

P. Tu tires une carte et tu mimes ce que tu fais. Toi, tu dis ce qu'il fait. (...)

Pour travailler la phonétique, on peut faire jouer les enfants au « jeu du kangourou », comme dans le travail sur la comptine.

Reprendre les deux sons [f] et [v]. L'enseignant distribue les 28 cartes «Arthur» et indique le son qu'il faut repérer en donnant un exemple. L'enfant qui possède une carte «Arthur» contenant ce son doit dire aussitôt «kangourou!» et dire la phrase correspondante.

Avec le jeu constitué à cette unité, on aura les possibilités suivantes :

[f]
Il fait de la planche à roulettes (U2)
Il n'aime pas le fromage (U5)
Il regarde son album de photos (U6)
Il fait froid (U7)
Il neige, ils font du ski (U7)
Il fait chaud, ils vont à la piscine (U7)

[v]
Il lit un livre (U2)
Lucie invite Arthur (U3)
Arthur va chez elle (U3)
Un lapin médecin vient le voir (U4)
La grand-mère d'Arthur est vieille (U6)
Il fait chaud, ils vont à la piscine (U7)

P. *Attention! Écoutez bien. [f] comme dans «éléphant». (...)*

E. *Kangourou! Il n'aime pas le fromage*

Si vous souhaitez aborder l'écrit, vous trouverez un exercice page 121 du livre de l'élève et sa correction à la fin du guide pédagogique.

ACTES DE PAROLE

■ Demander à quelqu'un de faire quelque chose

■ S'excuser, demander pardon
■ Exprimer un souhait, une demande

RÉALISATIONS LINGUISTIQUES

■ Tu vas mettre tes jouets dand ta chambre
Tu portes tes vêtements au 2e étage
Les cartons avec une croix bleue dans la cuisine ...
■ Pardon, Madame ...
■ Maman, j'ai envie de faire pipi !

NOTIONS

■ La localisation
■ Le classement
■ Le futur

GRAMMAIRE

■ Au (1er / 2e étage ...)
■ Les ordinaux
■ Le futur proche

LEXIQUE

■ La maison
■ Le mobilier

PHONÉTIQUE ET INTONATION

■ [k] et [g]

8

69 à 76

Face B

FIGURINES NOUVELLES

Le déménageur,

Une armoire, un canapé,
une chaise, une lampe,
un lavabo, un lit, une table,
un tapis

Conseils pédagogiques

Pour commencer

Pour comprendre le dialogue de la B.D., les enfants ont besoin de savoir repérer les éléments de la maison et les ordinaux.

Dessiner au tableau une maison comme à la page 71. «Meubler» au fur et à mesure les différentes pièces en se servant des figurines.

Présenter ensuite les ordinaux.
Dessiner une tour à plusieurs étages.
Séparer les étages, écrire les chiffres de 1 à 5 par exemple.

Demander ensuite à un enfant d'indiquer sur le dessin un étage.

Julien déménage

Faire observer la B.D. Faire identifier les personnages. Quel est celui qu'on voit le plus souvent ? (la maman de Julien). Quelle est la situation ? (le déménagement).

Faire écouter le dialogue.

Sur la musique qui introduit le dialogue, on entend le bruit d'un camion et quelqu'un qui parle : «Attention... attention... le carton, ici ! non... là... attention (bruit de casse) attention...».

JULIEN DÉMÉNAGE

LE PÈRE — Voilà notre nouvelle maison ! Tout le monde au travail !

LA MÈRE — Toi, Julien, tu vas mettre tes jouets dans ta chambre au premier étage ; Chantal, tu portes tes vêtements au deuxième étage, dans ta chambre, sous le toit.

DÉMÉNAGEUR — Pardon, madame ! Où est-ce qu'on pose les cartons ?

LA MÈRE — Les cartons avec une croix bleue, dans la cuisine, au rez-de-chaussée ; les cartons avec une croix verte, dans notre chambre, au premier étage ; les cartons avec une croix rouge, dans la salle de séjour, à droite de la cuisine.

JULIEN — Maman, j'ai envie de faire pipi.

LA MÈRE — Les toilettes, au premier étage, à côté de ta chambre.

Conseils linguistiques

P. Voilà une maison : c'est ma maison. J'habite là. Venez chez moi. Voilà la cuisine où je prépare à manger : voilà une table et une chaise. Là, c'est la salle de séjour. Là, sous le toit, c'est ma chambre avec un lit, une armoire, une table...

P. Voilà le premier étage*, le deuxième, le troisième...

P. (E.1), où est le deuxième étage ?
E.1 Voilà le deuxième étage.

PAGE **70**

P. Julien change de maison. Écoutons ensemble.

*En France, pour désigner les différents étages d'une maison, on utilise le terme « rez-de-chaussée » pour l'étage qui est au niveau de la rue. Au-dessus, il y a le premier étage, etc.

La maison de Julien

RÉÉCOUTE . CONTRÔLE DE LA COMPRÉHENSION ORALE

Procéder à plusieurs écoutes et demander aux enfants de retrouver la maison de Julien.

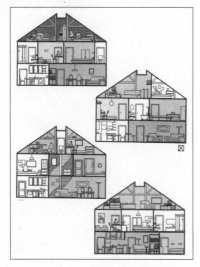

Pour faciliter le contrôle, dessiner d'abord au tableau une maison à deux étages, comme celle de Julien.

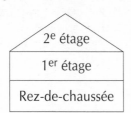

Pour aider les enfants à trouver la bonne maison, on peut leur demander d'abord de retrouver les différentes pièces et leur localisation :

La chambre de Julien est au premier étage.
La chambre de Chantal est au deuxième étage.
La cuisine est au rez-de-chaussée.
La chambre des parents est au premier étage.
La salle de séjour est à côté de la cuisine.
Les toilettes sont au premier étage.

Les couleurs affectées aux différentes pièces peuvent éventuellement aider les enfants à trouver la bonne maison et à expliquer leur choix.
Par exemple : On cherche la chambre de Julien (coloriée en bleu). Elle se trouve au premier étage dans trois maisons.

Corriger ensemble.

P. Pour vérifier que vous avez bien compris, nous allons d'abord dessiner la maison de Julien.
Là, c'est le rez-de-chaussée, là, le premier étage et sous le toit, le deuxième étage.

P. Cherchez la chambre de Julien. Où se trouve-t-elle ? Au deuxième étage ?
E.1 Non au premier étage. Elle est bleue.
P. Très bien, alors la troisième maison n'est pas la maison de Julien ? (...)

RECONSTITUTION DU DIALOGUE

Revenir au dialogue enregistré le plus souvent possible, soit pour faire retrouver la phrase exacte et son intonation, soit pour faire trouver la réponse exacte ou les éléments qui favorisent la compréhension.

JEU DRAMATIQUE

Les enfants vont réutiliser les éléments du dialogue mais en les adaptant à une autre maison. Ils vont donc choisir sur la page une des trois maisons qui restent et adapter le dialogue à la disposition des pièces. Ils peuvent bien entendu changer les couleurs des croix sur les cartons et l'ordre des indications données par la maman de Julien.

Former des groupes de quatre enfants (maman, papa, Julien, le déménageur) pour faire ce jeu dramatique.

Qu'est-ce qu'ils vont faire ?

ACTIVITÉS DE PRODUCTION ORALE

Cette activité va permettre de travailler sur le futur proche.

Faire d'abord retrouver les activités représentées sur le parcours.

cases	activités
1-14	Jouer au ballon.
2-15	Jouer aux cartes.
3-20	Se cacher sous la table.
4-11	Regarder un album de photos.
5-16	Se déguiser.
6-13	Dessiner.
7-12	Colorier.
8-17	Mettre un pull.
9-18	Faire du ski.
10-19	Se coucher.

P. Qu'est-ce qu'il fait, dans la case 1.
E.1 Il joue au ballon.
P. Dans la case 2, c'est une fille.
Elle joue aux cartes.
(...)

Présenter ensuite le «futur proche».
Pour marquer la notion de futur, prendre un exemple d'action et écrire au tableau, en langue maternelle si nécessaire, la date du jour, puis celle du lendemain.

Après deux ou trois exemples, les enfants continuent.

Expliquer ensuite les règles du jeu. On joue avec un dé. Les cases vertes représentent les actions au présent, les cases orange, les actions au futur proche.

P. Regardez, j'ai dessiné une petite maison. Qu'est-ce que je vais dessiner demain. Je vais dessiner une grande maison.

P. Vous allez jouer, à deux.
Vous jetez le dé. Allez-y! C'est un 3.
Vous êtes sur la case 3. Elle est verte.

Les enfants jouent à deux.
Dans chaque binôme, à tour de rôle, l'un pose la question, l'autre répond.

Passer dans les groupes pour les aider et contrôler.

On peut également jouer à ce jeu tous ensemble. Un élève jette le dé et pose sa question à un autre élève de son choix. Ils utiliseront la première et la deuxième personne.

PAGE 73

(E.1), tu dois poser la question :
Aujourd'hui qu'est-ce qu'il fait?
(E.2), tu réponds : Aujourd'hui, il se
cache sous la table.
Vous jetez encore une fois le dé. …
C'est un 6.
Vous allez sur la case 9.
Elle est orange.
(E.1), tu poses la question :
Demain, qu'est-ce qu'elle va faire ?
(E.2), tu réponds : Demain, elle va
faire du ski.
D'accord! On y va!

P.   *Qu'est-ce que tu as tiré ?*
E.1 *Un 3.*
P.   *Tu as trouvé la case 3 ?*
E.1 *Oui.*
P.   *Choisis quelqu'un.*
E.1 *(E.2), qu'est-ce que tu vas faire ?*
E.2 *Je vais me cacher sous la table.*

Attention

LES SONS [k] ET [g]

Mettre au tableau de feutre les figurines présentant les sons à faire travailler.

[k]	[g]
cahier	garçon
kangourou	kangourou
crayon	grand-père
escargot	escargot
courgettes	glace
	gants

Pour bien prononcer le son [k] comme dans «cartable», garder la bouche entrouverte et appuyer la pointe de la langue contre les incisives inférieures. Le dos de la langue reste en contact avec le palais. Le son [k] explose quand la langue se détache du palais. Les cordes vocales ne vibrent pas.
Pour aider les enfants à bien articuler ce son, leur rappeler que les cordes vocales ne vibrent pas, contrairement au son [g].

Pour bien prononcer le son [g], comme dans «glace», partir du son [k] mais faire vibrer les cordes vocales.
Pour aider les enfants à bien articuler ce son, leur demander de mettre une main contre leur cou et de sentir les cordes vocales qui vibrent au moment de l'articulation de [g].

LA DISCRIMINATION

On peut procéder comme dans l'unité 2 et proposer le jeu de «Pigeon vole» en se servant des mots présentés en début d'activité et de distracteurs (mots déjà connus et comportant des sons que les enfants, selon leur langue maternelle, ont tendance à confondre).

L'ÉCOUTE

Faire écouter l'enregistrement.
Au fur et à mesure, dessiner au tableau la maison en question. Pour dessiner les quatre murs, il vaudra mieux dessiner la maison en perspective.

L'ARTICULATION

On peut procéder comme dans l'unité 2 et proposer n'importe lequel des jeux décrits.

LE RYTHME

Faire retrouver le rythme à partir des groupes de souffle.

> **ATTENTION!**
>
> /Attention!/
> /Je dessine ma maison/
> /Quatre murs/
> /Deux fenêtres/
> /Un toit pointu/
> /Une grande porte toujours ouverte/
> /Pour laisser entrer/tous mes amis./

L'INTONATION

Travailler comme dans les unités précédentes.

Pour animer la comptine, former des groupes de deux, un enfant récite et l'autre dessine au tableau ou sur une grande feuille de papier.

On pourra ensuite colorier les différentes maisons et les présenter devant la classe.

Attention!

Je dessine ma maison

Quatre murs

Deux fenêtres

Un toit pointu

Une grande porte toujours ouverte

Pour laisser entrer tous mes amis

La maison arc-en ciel

ÉCOUTE . ACTIVITÉ DE CONTRÔLE DE LA COMPRÉHENSION ORALE

Faire énumérer les couleurs dans l'ordre de la page pour faciliter ensuite l'écoute :
noir – rouge – bleu – gris – orange – vert – violet – jaune – marron – rose.

Faire écouter l'enregistrement.
Demander aux enfants de numéroter correctement les différents étages.

Le premier exemple est déjà donné sur la page.

> **LA MAISON ARC-EN-CIEL**
>
> Le premier étage est bleu.
> Le cinquième étage est violet.
> Le troisième étage est vert.
> Le huitième étage est marron.
> Le neuvième étage est orange.
> Le sixième étage est rouge.
> Le deuxième étage est jaune.
> Le dixième étage est gris.
> Le quatrième étage est rose.
> Le septième étage est noir.

P. Vous vous souvenez du nom des couleurs en français ? (E.1), tu veux commencer ? À toi...

7	noir
6	rouge
1	bleu
10	gris
9	orange
3	vert
5	violet
2	jaune
8	marron
4	rose

Passer à nouveau l'enregistrement deux ou trois fois.
Corriger ensemble.

ACTIVITÉ DE PRODUCTION ORALE

Demander aux enfants de reconstruire progressivement la maison arc-en-ciel.

E.1 Le premier étage de la maison arc-en-ciel est bleu.
Le deuxième étage...

Le déménagement arrive

PRÉSENTATION DU LEXIQUE ACTIVITÉ DE PRODUCTION ORALE

Présenter au tableau de feutre le lexique du mobilier : lit, armoire, chaise, table, lampe, canapé, lavabo, tapis.
Pour faire réutiliser les mots, organiser un jeu de Kim.

❶ ❹	une chaise	
❷	une table	
❸	un canapé	
❺	un lit	
❻	un tapis	
❼ ❽ ❾	une lampe	
❿	une armoire	

<table>
<tr><td>P.</td><td>Qu'est-ce que le déménageur a sorti du camion ?</td></tr>
<tr><td>E.1</td><td>Une table... c'est le n° 2.</td></tr>
<tr><td>E.2</td><td>Un canapé... c'est le n° 3 (...)</td></tr>
</table>

Demander ensuite aux enfants de travailler en binôme.
Ils devront «meubler» leur maison et disposer les meubles au bon endroit en écrivant les chiffres correspondant aux meubles.
Chaque groupe présente sa maison aux copains.

<table>
<tr><td>E.1</td><td>Chez moi, dans la salle à manger, il y a un tapis... je mets un tapis...</td></tr>
</table>

Arthur le kangourou

PAGE **76**

Procéder comme d'habitude.

Faire écouter en suivant les images.

Sortir les quatre nouvelles cartes.

En plus des jeux habituels, on peut exercer le futur proche avec certaines cartes.

<table>
<tr><td>E.1</td><td>Que va faire Arthur ?</td></tr>
<tr><td>E.2</td><td>Arthur va faire la cuisine.</td></tr>
<tr><td>E.1</td><td>Que va faire Arthur ?</td></tr>
<tr><td>E.2</td><td>Arthur va prendre une douche.</td></tr>
</table>

On peut prolonger ce jeu en choisissant dans les unités précédentes les cartes suivantes :

U1 – il dessine, il découpe, il colle.
U2 – il lit un livre.
U6 – il regarde son album de photos.

<table>
<tr><td>P.</td><td>Que va faire Arthur ?</td></tr>
<tr><td>E.1</td><td>Il va dessiner...</td></tr>
</table>

Si vous souhaitez aborder l'écrit vous trouverez un exercice page 121 du livre de l'élève et sa correction à la fin du guide pédagogique.

ACTES DE PAROLE

- Exprimer des sentiments, des humeurs
- Donner des renseignements sur quelque chose

RÉALISATIONS LINGUISTIQUES

- Parfait !
- Mais, qu'est-ce que c'est que ça ? Vous avez fait les courses ?

NOTIONS

- La quantité
- Le temps

GRAMMAIRE

- Les partitifs
- Le passé composé

LEXIQUE

- Les produits alimentaires
- Les commerces
- Les jours de la semaine

PHONÉTIQUE ET INTONATION

- [ə] [e] et [o]

77 à 84

Face B

FIGURINES NOUVELLES

Des bananes, du beurre, des carottes, des cerises, de la confiture, des courgettes, de l'huile, du jus de fruit, des œufs, du pain, du poisson, des pommes, des pommes de terre, du sel, du sucre

Conseils pédagogiques

Pour commencer

Il s'agit de présenter les figurines des aliments connus ou nouveaux : fruits, légumes, etc., et d'utiliser, chaque fois que ce sera nécessaire, l'article partitif.

Disposer au tableau de feutre les figurines des aliments déjà connus : cerises, pommes, salade, citron, radis, orange, chocolat, glace, banane, tomate, lait, viande, riz, fromage.

Demander rapidement le nom de chaque aliment.
Faire classer dans un ensemble tous les fruits.

Faire la même chose pour les légumes.

Contrôler et poser quelques questions.

Pendant le jeu, on pourra introduire une question supplémentaire.

Présenter ensuite les éléments nouveaux en se servant de l'article partitif quand c'est nécessaire.

Organiser ensuite un jeu de Kim.

Les courses

Faire observer la B.D. On voit les enfants – Sandrine et son petit frère Nicolas – qui reviennent des courses. Leur maman est en train de faire la vaisselle. Ensemble, ils vident le panier et sortent tout ce que les enfants avaient à acheter. Les deux dernières images peuvent intriguer les élèves. C'est le dialogue qui confirmera ou non leurs hypothèses.

Passer ensuite à l'écoute du dialogue enregistré. Disposer au tableau de feutre les figurines des personnages ou se servir de l'affiche.

La musique qui introduit le dialogue évoque un magasin ou un supermarché. On entend une sonnerie de porte de boutique, une musique d'ambiance, des bruits de caisse enregistreuse et une annonce au haut-parleur : «Le petit Nicolas attend sa sœur Sandrine au rayon des bonbons».

Conseils linguistiques

P.   Voilà les fruits.

P.   Voilà les légumes.

P.   Qui vient retrouver tous les fruits (les légumes) ?

P.   Qu'est-ce qui manque ? C'est un fruit, un légume ou autre chose ?

P.   Voilà des courgettes, des pommes de terre, des carottes, des œufs, du pain, du beurre, de la confiture, du poisson, du sucre, du sel, de l'huile, du jus de fruits.

PAGE 78

P.   Maman a demandé à Sandrine et à Nicolas de faire les courses.
Qu'est-ce qu'ils ont acheté ?
Écoutez !

LES COURSES

MAMAN	Nicolas, Sandrine, c'est vous ?
SANDRINE	Oui, maman !
MAMAN	Alors, vous avez fait les courses ?
NICOLAS	Oui, nous avons tout acheté.
MAMAN	Voyons un peu... des courgettes.. des pommes de terre... des carottes... vous êtes allés chez le boucher ?
SANDRINE	Oui, maman, voilà la viande.
MAMAN	Parfait... du pain... du lait... mais, qu'est-ce que c'est que ça ?
NICOLAS	Un tout petit paquet de bonbons. Nous avons été sages !

Attention : lorsque Sandrine dit «Oui, maman, voilà la viande», elle utilise l'article défini parce que c'est la viande que sa maman lui a demandé d'acheter.

Ce dialogue utilise pour la première fois le passé composé. La situation doit permettre aux enfants de comprendre l'action sans qu'il soit nécessaire d'insister, dans ce premier contact, sur l'emploi et les formes du passé composé.
On leur fera d'abord retrouver les divers achats sur l'affiche.

Un panier très lourd

RÉÉCOUTE . CONTRÔLE DE LA COMPRÉHENSION ORALE

Le contrôle porte sur les achats effectués par Sandrine et Nicolas. Il faut donc retrouver les éléments suivants = les courgettes, les pommes de terre, les carottes, la viande, le pain, le lait, le paquet de bonbons.

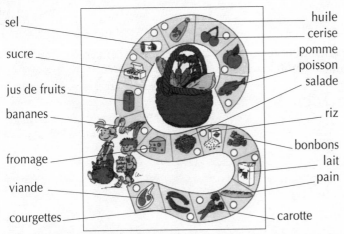

sel — sucre — jus de fruits — bananes — fromage — viande — courgettes

huile — cerise — pomme — poisson — salade — riz — bonbons — lait — pain — carotte

Après deux écoutes, demander aux enfants de retrouver sur la page ce que Sandrine et Nicolas ont acheté en mettant une croix dans la bonne case (x).
Leur signaler qu'il manque un achat (les pommes de terre).

P. Regardez bien. Cherchez tous les aliments que Sandrine et Nicolas ont achetés. Mettez une croix dans la bonne case. C'est un exercice difficile !

Leur demander de le trouver et de le dessiner au bout du parcours, à côté de la viande ou sur leur cahier.

Passer à nouveau l'enregistrement. Corriger ensemble.

On peut faire énumérer tout ce qu'ils n'ont pas acheté.

RECONSTITUTION DU DIALOGUE

Procéder à la reconstitution du dialogue en revenant à l'enregistrement le plus souvent possible.

JEU DRAMATIQUE

Former des groupes de trois élèves : ils devront préparer un dialogue semblable à celui qu'ils viennent de reconstituer.

On peut imaginer des variantes pour les achats en choisissant dans les éléments connus et affichés au tableau de feutre.

Il a tout mangé

Dans cette activité, on va réutiliser le lexique qu'on vient de revoir ou de découvrir et affiner l'emploi de l'article partitif.

Il a mangé du lait (A) du pain (B) de la confiture (C) et du beurre (D)

Il a mangé du poisson (E) du riz (F) du fromage (G) et des cerises (H)

Il a mangé de la viande (I) des courgettes (J) de la salade (K) et des pommes (L)

Attention, il manque un aliment. Retrouvez-le et dessinez-le.

P. Alors, qu'est-ce qu'ils ont acheté ? Des courgettes, des carottes, de la viande, du pain, du lait, un petit paquet de bonbons et quoi encore. Quel est l'aliment que le dessinateur n'a pas dessiné ?

E.1 Des pommes de terre.

P. Bravo. Il a dessiné des pommes, mais pas de pommes de terre.

P. ou E.1 Ils n'ont pas acheté de riz, pas de salade, pas de fromage, pas de bananes, pas de jus de fruits, pas de sucre, pas de sel, pas d'huile, pas de cerises, pas de tomates, pas de poissons non plus.

P. Regardez, nous sommes au restaurant. Il y a un client. On lui propose trois menus. Qu'est-ce qu'il a mangé ? (...) Il y a un quatrième menu, vide. Nous ferons notre menu un peu plus tard.

Le quatrième menu sur lequel rien n'est dessiné sert à prolonger l'activité selon l'imagination des enfants.

La deuxième partie de la page (les trois récipients) est utilisée au moment de la deuxième activité.

ACTIVITÉ DE PRODUCTION ORALE

Présenter au tableau de feutre les figurines des aliments représentés (y compris les éléments nouveaux).

Faire reconstituer au tableau de feutre les menus dessinés dans le livre. Les enfants viendront placer les figurines et, éventuellement, écrire à côté de chacune d'elles la même lettre que celle qu'ils peuvent voir dans leur livre.

Pour le quatrième menu, demander aux enfants de choisir les aliments qu'ils veulent et de venir composer ce menu au tableau de feutre.

On peut aussi demander aux enfants de présenter leur menu préféré.

ACTIVITÉ DE CLASSEMENT

Demander aux enfants de travailler seuls et de faire l'exercice de la deuxième partie de la page.

Faire classer les différents aliments en trois groupes en plaçant les figurines dans l'un des trois ensembles suivant l'article partitif à employer.

Donner d'abord les exemples proposés dans chaque récipient :
B : du pain
C : de la confiture
H : des cerises

Les élèves poursuivent en inscrivant les autres lettres symbolisant chaque aliment.

| A B D E F G | C I K | H J L |
| Du | De la | Des |

Corriger ensemble au tableau de feutre.

P. Qui veut reconstituer le premier menu ? (E.1), tu viens ? Écris à côté de chaque aliment la même lettre que dans le livre. A, c'est le lait, B... Alors, qu'est-ce qu'il a mangé ?

E.1 Il a mangé du lait, du pain, de la confiture et du beurre.

E.1 Il a mangé de la salade, du poisson, du fromage et des bonbons.

E.1 J'ai mangé...

P. Triez tous les aliments et mettez-les dans le bon récipient/dans la bonne casserole.

Bonjour

LE SON [ə]

Ce son revient dans l'article défini au masculin singulier (le) et dans la préposition «de».
On peut opposer ce son aux sons [e] ou [o] selon les difficultés et la langue maternelle des élèves.

Pour bien prononcer le son [ə] de «cerise», on peut partir du son [e] de «éléphant».

Avancer légèrement les lèvres et les arrondir un peu. Aider les enfants à ne pas confondre ce son avec [e], articulé avec les lèvres tendues, ni avec [o], articulé avec les lèvres nettement plus arrondies.

LA DISCRIMINATION

Demander aux enfants de dessiner une grille ou leur distribuer une feuille déjà prête. Dire ensuite des groupes de mots parfois identiques, parfois différents pour habituer les enfants à discriminer les deux sons.

		=	≠
1. Le livre rouge	les livres rouges		X
2. Le pull jaune	le pull jaune	X	X
3. Le ballon vert	les ballons verts		
4. Le pantalon bleu	le pantalon bleu	X	
5. Le petit zèbre	le petit zèbre	X	

L'ÉCOUTE

Présenter les jours de la semaine. Demander aux enfants de les répéter.

Faire écouter l'enregistrement

P. Aujourd'hui, quel jour sommes-nous ?

L'ARTICULATION

Le son [ə] ne se prête pas facilement aux jeux habituels. Pour que les enfants articulent correctement, faire répéter, parmi les groupes de mots présentés dans l'exercice de discrimination, uniquement ceux qui comportent le son [ə]. On peut aussi faire articuler les deux mots de la comptine qui comportent ce son (mercredi et vendredi).

LE RYTHME

Faire retrouver le rythme à partir des groupes de souffle.

L'INTONATION

Travailler comme dans les unités précédentes en formant une ronde ou en faisant travailler les élèves à deux.

Pour animer la comptine, faire réciter le texte à la chaîne. Les enfants seront l'un après l'autre les jours de la semaine et ils se serreront la main en disant un vers de la comptine comme dans l'illustration.

E.1	Bonjour lundi.
E.2	Comment va mardi ?
E.3	Pas mal mercredi.
E.4	Et toi jeudi,
E.5	Tu diras à vendredi,
E.6	que je pars samedi
E.7	pour arriver dimanche.

Hier, qu'est-ce que tu as fait ?

PAGE

Cette page propose une série d'activités déjà connues et qu'on va reprendre au passé composé à la 1re et à la 3e personne du singulier.

ÉCOUTE . ACTIVITÉ DE CONTRÔLE DE LA COMPRÉHENSION ORALE

Faire retrouver les actions représentées sur la page.

P. Regardez!
Dans la première image il fait des courses,
dans la deuxième, il lit un livre,
dans la 3e, il mange des cerises,
dans la 4e, il joue au ballon,
dans la 5e, il met un pull,
dans la 6e, il regarde la télévision,
dans la 7e, il range sa chambre.

Introduire l'idée de passé en se servant d'un exemple concret.

P. Aujourd'hui, c'est mercredi.
Hier, c'était mardi.
Regardez : je dessine.
Hier, mardi, j'ai dessiné.

Passer ensuite l'enregistrement. Les enfants devront numéroter correctement les actions accomplies le jour d'avant.

HIER, QU'EST-CE QUE TU AS FAIT ?

1. Hier, j'ai rangé ma chambre.
2. Hier, j'ai mis un pull.
3. Hier, j'ai joué au ballon.
4. Hier, j'ai regardé la télé.
5. Hier, j'ai lu un livre.
6. Hier, j'ai fait les courses.
7. Hier, j'ai mangé des cerises.

Corriger ensemble.

ACTIVITÉ DE PRODUCTION ORALE : LE PASSÉ COMPOSÉ

Faire jouer les enfants.
Le premier dit un jour de la semaine de son choix, par exemple jeudi, et mime une action.
Il choisit ensuite un copain (E.2) qui doit reprendre la même activité au passé composé en commençant sa phrase par «hier» suivi du jour précédant celui choisi par (E.1).

(E.2) poursuit en proposant une autre activité au présent que (E.3) reprend au passé composé.

E.1 Aujourd'hui c'est jeudi. Je dessine. À toi, (E.2)!

E.2 Hier, mercredi, j'ai dessiné (...)

La semaine dernière

La page reprend les mêmes activités que la page précédente et prolonge la dernière activité réalisée.

ACTIVITÉS DE PRODUCTION ORALE

Demander aux enfants de travailler en binôme. À tour de rôle, un enfant choisira un nombre de 1 à 7 (les sept jours de la semaine) et posera une question.

E.1   N° 1.
E.2   C'est lundi.
E.1   Qu'est-ce que tu as fait lundi ?
E.2   Lundi, j'ai mis un pull...

On demandera ensuite aux enfants de venir jouer devant la classe.
Profiter de l'occasion pour faire articuler (produire) correctement «J'ai» [ʒɛ], que les enfants confondent souvent avec «je» [ʒə].

Chaque enfant devra se préparer à raconter «sa» semaine dernière en respectant les dessins de la page 83.

P.   Alors, la semaine dernière, qu'est-ce que tu as fait ?
E.1   Lundi, j'ai mis un (mon) pull, mardi...

On pourra organiser à nouveau une activité à deux comme dans la phase précédente.

Demander à plusieurs binômes de se produire devant les autres.

Arthur le kangourou

Procéder comme précédemment.

Pour faire pratiquer le passé composé, on peut reprendre les cartes des unités précédentes qui offrent essentiellement des verbes du 1er groupe :

U1 – Il a dessiné..., il a découpé..., il a collé..., il a pris...
U2 – Il a joué..., il a lu..., il a fait...
U3 – Il a invité...
U6 – Il a regardé...
U8 – Il a pris...

Jouer au jeu du kangourou à partir des sons [e], [ə] et [o].

[e]
Il dessine (U1)
Il découpe (U1)
Arthur va chez elle (U3)
Lucie se cache dans un panier (U3)
Un lapin médecin vient le voir (U4)

Il doit rester trois jours au lit (U4)
Lucie aime les glaces et les bonbons (U5)
Elle n'aime pas les citrons (U5)
La grand-mère d'Arthur est vieille. Elle a des lunettes (U6)
Il est assis dans le canapé (U8)
Chez le boucher, il a acheté de la viande (U9)
Chez l'épicier, du riz (U9)
Chez le crémier, du lait, du fromage et des œufs (U9)
Chez le marchand de légumes, de la salade et des pommes
(U9)

[ə]
Lucie se cache dans un panier (U3)
Un lapin médecin vient le voir (U4)
Arthur aime le chocolat (U5)
Il n'aime pas le fromage (U5)
Il regarde son album de photos (U6)
Le grand-père d'Arthur a une grosse moustache (U6)
La petite sœur d'Arthur s'appelle Alice (U6)
Il est assis dans le canapé (U8)
Il se couche dans son grand lit (U8)
Chez le boucher, il a acheté de la viande (U9)
Chez le crémier, du lait, du fromage et des œufs (U9)
Chez le marchand de légumes, de la salade et des pommes
(U9)

[o]
Il a mal au dos (U4)
Il doit rester trois jours au lit (U4)
Arthur aime le chocolat (U5)
Il n'aime pas le fromage (U5)
Il regarde son album de photos (U6)
Ils mettent des gants et un bonnet (U7)
Le grand-père d'Arthur a une grosse moustache (U6)
Il fait chaud, ils vont à la piscine (U7)

Si vous souhaitez aborder l'écrit
vous trouverez un exercice page 122
du livre de l'élève et sa correction
à la fin du guide pédagogique.

B.D.

- Demander à quelqu'un de faire quelque chose
- Demander des renseignements sur quelque chose

ACTIVITÉS

- Lexique
- L'emploi des articles

ARTHUR LE KANGOUROU

- La conjugaison du présent
- Les pers. du sing. au passé composé

POUCE 3

85 à 88

Face B

Que disent-ils ?

CONTRÔLE DU LEXIQUE ET DE LA COMPÉTENCE DE COMMUNICATION

Procéder comme pour les POUCES précédents.

La page reproduit trois séquences extraites des bandes dessinées des trois unités précédentes (pages 62, 70, 78)

Ne se servir de l'enregistrement qu'au moment de la correction.

QUE DISENT-ILS ?

Unité 7

JULIEN	Zut ! Il pleut. Qu'est-ce qu'on fait ?
SANDRINE	J'ai une idée... nous allons nous déguiser.

Unité 8

LA MÈRE	Toi, Julien, tu vas mettre tes jouets dans ta chambre au premier étage. Chantal, tu portes tes vêtements au deuxième étage, dans ta chambre, sous le toit.
DÉMÉNAGEUR	Pardon, madame, où est-ce qu'on pose les cartons ?
LA MÈRE	Les cartons avec une croix bleue, dans la cuisine au rez-de-chaussée.

Unité 9

MAMAN	Alors, vous avez fait les courses ?
NICOLAS	Oui, nous avons tout acheté.

Au marché

CONTRÔLE DU LEXIQUE ET DE L'EMPLOI DES ARTICLES

Les deux dessins représentent la même rue à deux moments de la journée. Il faut retrouver, en les comparant dans le détail, ce que le personnage qu'on voit en bas à droite a acheté.

Il a acheté :
des lunettes, des gants, des chaussettes, des ciseaux , quatre bananes, deux pommes, quatre tomates et trois courgettes.

Quand les élèves auront retrouvé ce qu'il a acheté, ils viendront, un à un, le dire à voix basse à l'enseignant.

Pour un travail individuel, on peut aussi demander à chaque élève de dessiner sur son cahier, en s'inspirant des dessins du livre, les choses que le personnage a achetées.

On peut, bien sûr, exploiter ce dessin ensuite avec toute la classe en demandant aux enfants de reconstituer, au tableau de feutre par exemple, la vitrine des trois magasins représentés. Dans le premier magasin, il y a deux pantalons*, etc.
Un groupe d'élèves peut organiser un jeu de Kim, décider quels sont les achats que le personnage va effectuer et faire jouer le reste de la classe.

* Quand il y a plusieurs objets, afficher l'objet et écrire le chiffre en dessous.

Arthur le kangourou

CONTRÔLE DU LEXIQUE ET DE LA COMPÉTENCE DE COMMUNICATION

Procéder comme dans les POUCES précédents.

> **REGARDE ARTHUR ET LUCIE !**
>
> U7 – Il neige, ils font du ski.
> U7 – Il fait chaud, ils vont à la piscine.
> U8 – Il prend une douche.
> U9 – Hier, il a pris son panier.

ACTES DE PAROLE

- Demander / donner des renseignements sur une personne
- Exprimer des sentiments, des humeurs
- Exprimer l'incertitude, l'ignorance

RÉALISATIONS LINGUISTIQUES

- Qui est-ce ? Elle est blonde, elle a les yeux verts, les cheveux longs. Elle est triste ...
- Vous êtes bêtes !
- Tu crois ! Peut-être ! Je ne sais pas

NOTIONS

- La négation
- La qualité
- Masculin / féminin

GRAMMAIRE

- Ne ... pas ... (reprise)
- Les adjectifs
- Le féminin des adjectifs (suite)

LEXIQUE

- Le visage
- Adjectifs descriptifs

PHONÉTIQUE ET INTONATION

- [ʃ] et [ʒ]

89 à 96

Face B

FIGURINES NOUVELLES

Le visage

Gros(se), maigre, triste, content(e), long(ue), court(e)

Conseils pédagogiques

Conseils linguistiques

Pour commencer

Il s'agit de présenter quelques éléments utiles pour décrire quelqu'un : les principales parties du visage et quelques adjectifs.

Présenter au tableau de feutre la figurine du visage.
Indiquer quelques éléments : les cheveux, les yeux, la bouche.
Rappeler les adjectifs «petit/grand, jeune/vieux» et leurs féminins en se servant des figurines.
Présenter les nouveaux adjectifs :

triste    content(e)

Choisir ensuite un enfant dans la classe et le (la) décrire.

P.   Voilà E.1, elle est blonde, grande ...

PAGE 90

Le secret

Observer la B.D. On y voit Sandrine et son amie Chantal. Julien vient interrompre leur rêverie.

On peut donner le sens du mot «secret» et demander aux enfants de chercher les éléments du dessin qui pourraient se rapporter à ce «secret».

Passer ensuite à l'écoute.

La musique introduisant le dialogue évoque un grincement de porte qui s'ouvre sur un mystère.

P.   Sandrine a découvert un secret...
         Écoutez.

LE SECRET

SANDRINE	Chantal ! Chantal ! Regarde ! J'ai trouvé un portrait mystérieux dans une vieille armoire.
CHANTAL	Qui est-ce ?
SANDRINE	Je ne sais pas...
CHANTAL	Une princesse, peut-être. Elle est blonde, elle a les yeux verts, les cheveux longs et elle est triste.
SANDRINE	Tu crois ?
JULIEN	Une princesse ! Vous êtes bêtes ! C'est la sœur d'Éric, déguisée pour le carnaval.

120

Une belle princesse

La première activité sert à identifier la princesse à laquelle les deux petites filles rêvent, c'est-à-dire le deuxième portrait, au milieu.

La seconde activité sert à préciser le lexique.

RÉÉCOUTE . CONTRÔLE DE LA COMPRÉHENSION ORALE

Après deux ou trois écoutes, demander aux enfants de retrouver le portrait de la princesse.

Corriger ensemble et faire découvrir et décrire les faux portraits.
La première est brune, elle a les yeux verts, les cheveux longs et elle est contente.
La troisième est blonde, elle a les yeux marron, les cheveux longs et elle est contente.

Pour confirmer les bonnes réponses, faire écouter l'enregistrement autant que nécessaire en revenant aux différents passages.

RECONSTITUTION DU DIALOGUE

Procéder ensuite à la reconstitution du dialogue.

JEU DRAMATIQUE

Pour le jeu dramatique, former des groupes de trois enfants. Dans ce dialogue, ils ne pourront que difficilement faire varier les éléments descriptifs.
Si vous le souhaitez, fixer d'abord les éléments à remplacer : couleur des cheveux, de la robe, expression du visage, etc.

Pour faire un portrait

PRÉSENTATION DU LEXIQUE

Utiliser à nouveau la figurine du visage pour présenter les différentes parties dans un ordre différent de celui de l'enregistrement.

P. Alors c'était un vrai secret ?
Qui est la princesse mystérieuse ?
Quel est le bon portrait ?
E.1 C'est le deuxième,
P. Pourquoi ?
E.1 Elle est blonde et les cheveux longs.
E.2 Elle a les yeux verts.
P. Et puis quoi encore ?
E.3 Elle a l'air triste.
P. Alors c'est bien la 2e princesse. Bravo!

P. Pourquoi le troisième portrait est-il faux ?
E.1 (Parce que) elle est contente.

P. Voilà ce que vous pouvez utiliser.
Vous pouvez choisir.

Pour faire pratiquer ce lexique, demander ensuite aux enfants de fermer les yeux et de toucher la partie de leur visage que vous direz à voix haute.

P. Vous allez tous fermer les yeux.
Maintenant touchez votre nez.
(E.1), tu crois que c'est ton nez ?
Non, ça c'est ta joue.
Bien.
(...)

ÉCOUTE . ACTIVITÉ DE CONTRÔLE DE LA COMPRÉHENSION ORALE

Faire écouter l'enregistrement et demander aux enfants d'inscrire le bon numéro à la bonne place.
Le numéro 1 – la bouche – est déjà placé.

P. Écoutez et écrivez le bon numéro à la bonne place. Regardez!
Le n° 1 est déjà écrit. Continuez tout seul en suivant l'enregistrement.

POUR FAIRE UN PORTRAIT...

1. la bouche
2. les yeux
3. le nez
4. les oreilles
5. le menton
6. les dents
7. les joues
8. le cou
9. le front
10. les cheveux

Corriger ensemble. Vérifier que les chiffres ont été écrits à la bonne place.
On peut se servir de la figurine et faire inscrire les chiffres au tableau par les élèves.

Former ensuite des binômes. À tour de rôle, un enfant donnera l'ordre et l'autre s'exécutera en indiquant sur l'image de la page 91, la partie du visage.

E.1 Montre-moi la tête.
E.2 Voilà la tête.
(...)

Le personnage mystérieux

PAGE **92**

RÉEMPLOI DU LEXIQUE : LES ADJECTIFS

Disposer à nouveau toutes les figurines des adjectifs au tableau de feutre.

L'enseignant choisit pour lui une série d'adjectifs et les accorde au masculin ou au féminin, selon le cas.

P. Je suis grande, blonde, ...

Appeler ensuite un enfant pour donner l'exemple opposé.

P. Voilà E.1, il est grand, blond, ...

Appeler un autre enfant pour rendre sensibles les marques du féminin.

P. Voilà E.2, elle est grande, blonde, ...

Distribuer ensuite les figurines à des binômes composés, si possible, d'une fille et d'un garçon.

Dans chaque binôme, les enfants se préparent à se présenter en assumant les caractéristiques nouvelles évoquées par les figurines.

Demander ensuite aux enfants d'afficher leurs figurines au tableau de feutre et de se présenter.
Pour bien marquer le masculin ou le féminin, ils devront commencer par «Je suis une fille/Je suis un garçon».

ACTIVITÉ DE PRODUCTION ORALE

Passer ensuite au jeu. Faire observer le parcours.
Présenter deux nouvelles figurines : «gros(-se)» et «maigre».

gros(se)   maigre

Afficher tous les adjectifs au tableau de feutre après les avoir localisés un par un sur le parcours du jeu. Ils sont tous placés sur des cases jaunes.

– Petit/grand
– Jeune/vieux
– Gros/maigre
– Content/triste
– Gentil/méchant

Donner toutes les cartes à des enfants qui devront les utiliser en s'appropriant la caractéristique représentée.

Présenter ensuite les cases du parcours qui sont sur fond vert.
Dans toutes ces cases on a regroupé les constructions avec «avoir».

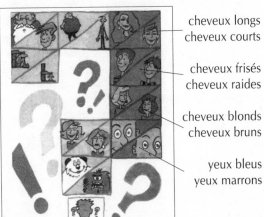

cheveux longs
cheveux courts

cheveux frisés
cheveux raides

cheveux blonds
cheveux bruns

yeux bleus
yeux marrons

P. Je vais vous donner une carte. Regardez-la bien. (E.1), comment es-tu ?

E.1 Je suis maigre.

P. Regardez ! Elle a les cheveux longs/les cheveux courts
Il a les cheveux frisés/les cheveux raides.
Elle a les cheveux blonds/les cheveux bruns.
Il a les yeux bleus/les yeux marron.

Prendre pour exemple des enfants de la classe ou des personnages connus.

Le jeu

On tire à pile ou face pour savoir si le personnage mystérieux est une fille ou un garçon :
PILE : Fille   FACE : Garçon
Le parcours commence en haut à gauche pour aboutir au personnage mystérieux.
Il faut s'arrêter sur chaque case.
Le personnage mystérieux aura donc à la fin du parcours neuf caractéristiques.
Les enfants jouent en binôme. Le premier pose les questions, le second répond en choisissant la caractéristique qui lui plaît.

Variante

On pourra aussi jouer avec des personnages connus.
Les enfants pourront jouer à deux ou en groupe.

À deux, un enfant pense d'abord à un personnage connu (acteur, vedette de la chanson, etc).
En respectant l'ordre des cases du parcours, l'autre enfant devra lui poser des questions pour découvrir le personnage mystérieux.

En groupe, établir avec les enfants une liste de personnages connus.
Écrire les noms au tableau.
Former deux équipes.
L'équipe A commence. Elle a le droit de choisir un personnage dans la liste établie.
À tour de rôle, les enfants de l'équipe adverse poseront des questions pour deviner de qui il s'agit.
Attention : faire commencer le jeu par :
«C'est un homme ou c'est une femme ?»

À la fin du parcours, on récapitule toutes les caractéristiques du personnage.

On peut créer de très nombreux personnages imaginaires ainsi.
S'il s'agit d'un personnage connu, on doit avoir deviné de qui il s'agit.

E.1	C'est un garçon ou une fille ?
E.2	Face... c'est un garçon.
E.1	Il est grand ou il est petit ?
E.2	Il est petit.
E.1	Il est jeune ou il est vieux ?
E.2	Il est vieux.

E.   Il est petit et gros, il est jeune et gentil, il a les cheveux blonds, longs et frisés, il a les yeux verts. Il est triste.

J'ai deux pieds pour marcher

LES SONS [ʃ] ET [ʒ]

Proposer des mots, existants sous forme de figurines, qui comportent l'un de ces deux sons.
Pour chaque figurine présentée, faire reconnaître le mot correspondant. Faire classer les figurines au fur et à mesure.

[ʃ]	[ʒ]
Chantal	courgettes
chaise	déménageur
chaussettes	fromage
chaussures	orange
écharpe	jupe
chat	Julien
chien	visage
chocolat	léger
short	jus de fruits
chaise	

Pour articuler correctement le son [ʃ] de «chaussettes», arrondir les lèvres et relever la pointe de la langue contre les dents supérieures.
Les cordes vocales ne vibrent pas.
Pour aider les enfans à articuler correctement ce son, leur demander de produire le bruit qu'on émet pour demander rapidement le silence.

Pour prononcer correctement le son [ʒ] de «Julien», faire comme pour prononcer le son [ʃ] mais faire vibrer les cordes vocales.

Pour aider les enfants à articuler correctement ce son, leur faire reproduire le bruit de la mer et leur faire observer que les cordes vocales vibrent.

LA DISCRIMINATION

Proposer le jeu de «Pigeon vole» en se servant de mots présentés en début d'activité et de distracteurs (mots déjà connus et comportant des sons que les enfants, selon leur langue maternelle, ont tendance à confondre).

L'ÉCOUTE

Faire écouter l'enregistrement.

Faire retrouver dans l'illustration les éléments de la comptine qui sont représentés (toutes les parties du corps sont dessinées mais pas toutes leurs fonctions) :

P. Est-ce que vous reconnaissez des parties du corps ? Lesquelles ? Écoutez bien !

pieds = marcher, courir, sauter
mains = (écrire), peindre, (applaudir)
nez = sentir
bouche = (rire), manger, (parler)
oreilles = écouter

L'ARTICULATION

Proposer quelques jeux décrits dans les unités précédentes.

LE RYTHME

Faire retrouver le rythme à partir des groupes de souffle.

> ### /J'AI DEUX PIEDS POUR MARCHÉR.../
>
> /J'ai deux pieds pour marcher/
> /Pour courir et pour sauter./
> /J'ai deux mains pour écrire/
> /Pour peindre, /pour applaudir./
> /Et j'ai un nez pour sentir./
> /J'ai une bouche pour rire/
> /Pour manger /et pour parler./
> /Et j'ai aussi /sur les côtés/
> /Deux oreilles pour écouter./
>
> /Qu'est-ce que tu as encore?/

L'INTONATION

Faire mimer par cinq élèves les vers concernant chacune des cinq parties du corps énumérées dans la comptine. Un sixième élève posera la question finale.

E.1 J'ai deux pieds pour marcher
Pour courir et pour sauter.

E.2 J'ai deux mains pour écrire
Pour peindre, pour applaudir.

E.3 Et j'ai un nez pour sentir.

E.4 J'ai une bouche pour rire
Pour manger et pour parler.

E.5 Et j'ai aussi sur les côtés
Deux oreilles pour écouter.

E.6 Qu'est-ce que tu as encore ?

Le dos tourné

C'est un jeu de mime qui se joue à deux joueurs ou à deux équipes.

Un joueur a le dos tourné et, pour plus de sûreté, les yeux bandés, comme le personnage qui est dessiné en bas à gauche de la page 94. L'autre joueur va mimer devant les autres des actions qu'il devra choisir parmi celles qui sont représentées sur la page.

Le premier joueur devra retrouver l'action mimée en posant des questions à celui qui mime.

RÉEMPLOI DU LEXIQUE
ACTIVITÉ DE PRODUCTION ORALE

Avant de jouer, faire retrouver les actions dessinées. Le parcours commence en bas à gauche et représente quinze actions :

Il joue au ballon	Il ne joue pas au ballon
Il joue aux billes	Il ne joue pas aux billes
Il fait la cuisine	Il ne fait pas la cuisine
Il joue aux cartes	Il ne joue pas aux cartes
Il prend une douche	Il ne prend pas de douche
Il mange des cerises	Il ne mange pas de cerises
Il va à la piscine	Il ne va pas à la piscine
Il fait du ski	Il ne fait pas de ski
Il fait les courses	Il ne fait pas les courses
Il dessine	Il ne dessine pas
Il regarde un album de photos	Il ne regarde pas un album de photos
Il regarde la télé	Il ne regarde pas la télé
Il fait de la bicyclette	Il ne fait pas de bicyclette
Il mange une glace	Il ne mange pas de glace
Il lit un livre	Il ne lit pas un livre

Vérifier que les enfants savent utiliser ces phrases à la forme négative.

Si on a besoin de faire pratiquer ces formes, on peut éventuellement utiliser les cartes Arthur qui représentent ces actions (il manque seulement : manger des cerises, une glace, et faire les courses. Mais des situations proches existent). Un élève tire au hasard une carte parmi les cartes qui représentent les actions et joue avec un camarade.

E.1 a tiré, par exemple, la carte «il dessine».

On inverse ensuite les rôles, c'est E.2 qui tire une carte.

P. Avant de jouer ensemble, nous allons retrouver toutes les actions qui sont dessinées.

E.1 Qu'est-ce que fait Arthur?
E.2 Arthur fait de la bicyclette.
E.1 Il ne fait pas de bicyclette, il dessine.

Le jeu

Pour jouer à deux :

Former des binômes.
Un des élèves (E.1) a les yeux bandés et le dos tourné.
L'autre (E.2) mime devant la classe une action de son choix.
Sans regarder, E.1 doit retrouver l'activité en posant des questions.

E.1 a le droit à trois essais, ensuite E.2 prendra sa place.
Il a droit lui aussi à trois essais.
Ensuite, un autre binôme prend leur place.

Pour jouer en groupe :

Former deux équipes, A et B.
Leur laisser cinq minutes pour se préparer. Chaque équipe doit être capable de dire les actions représentées dans l'ordre du parcours.
Pour démarrer, l'équipe A choisit un adversaire et lui demande de dire les actions dans l'ordre chronologique, le livre fermé et le dos tourné au tableau de feutre.
L'enfant a le droit de faire appel à un coéquipier s'il ne se souvient pas de la suite des actions.
C'est alors le coéquipier qui prend le relais et qui continue le jeu.
Il peut lui-même faire appel à un autre coéquipier jusqu'à la fin du jeu.
À chaque bonne réponse donnée dans l'ordre, l'équipe marque un point.
On enlève un point quand on fait appel à un coéquipier.
On passe à l'équipe adverse si deux enfants successivement ne trouvent pas la bonne réponse.

«Je donne ma langue au chat» est une expression que les enfants emploient dans un jeu quand ils ne connaissent pas la réponse et qu'ils abandonnent.

Si on veut, on peut exiger, comme dans le «Jeu du marché», que le coéquipier qui prend le relais commence par rappeler toutes les actions précédentes avant de continuer.

L'équipe qui marque le plus de points a gagné.

P. Maintenant nous allons jouer ensemble.

E.1 (E.2), tu fais du ski ?
classe Mais non !!! Il ne fait pas de ski. (...)
E.1 Tu joues au ballon ?
E.2 Oui, je joue au ballon.

E.1 Je joue au ballon, je joue aux billes, je... Je donne ma langue au chat. Qui peut m'aider ?
E.2 Je fais la cuisine, je joue aux cartes, je... Je ne sais pas!
E.3 ... Je ne sais pas, non plus.
P. À l'autre équipe alors!

E.1 Je joue au ballon, je joue aux billes, je ... Je donne ma langue au chat. Qui peut m'aider ?
E.2 Moi, je joue au ballon, je joue aux billes, je fais la cuisine, je joue aux cartes...

P. Équipe A, vous avez marqué... points. Vous avez gagné ! Bravo !

Arthur le kangourou

Faire écouter en suivant les images.

Sortir les quatre nouvelles cartes et travailler en jouant à «que fait Arthur ?»

Retravailler la phonétique en organisant un jeu du kangourou.

[ʒ]
Il joue au ballon (U2)
Il joue aux billes (U2)
Il doit rester trois jours au lit (U4)
Il n'aime pas le fromage (U5)
Il neige (U7)
chez le crémier, du fromage et des œufs (U9)

[ʃ]
Il fait de la planche à roulettes (U2)
Arthur va chez elle (U3)
Lucie se cache sous la table (U3)
Arthur aime le chocolat (U5)
Le grand-père d'Arthur a une grosse moustache (U6)
Il fait chaud (U7)
Il prend une douche (U8)
Il se couche dans son grand lit (U8)
Chez le boucher, il a acheté de la viande (U9)
Chez l'épicier, du riz (U9)
Chez le crémier, du fromage et des œufs (U9)
Chez le marchand de légumes, de la salade et des pommes. (U9)

Si vous souhaitez aborder l'écrit vous trouverez un exercice page 122 du livre de l'élève et sa correction à la fin du guide pédagogique.

ACTES DE PAROLE

- Demander / donner des renseignements sur un itinéraire

- Exprimer des sentiments, des humeurs
- Donner un ordre / interdire

RÉALISATIONS LINGUISTIQUES

- Pardon, Monsieur, pour aller à ...
  Vous continuez tout droit jusqu'à ...,
  il faut tourner à droite, passer sous le pont,
  prendre ensuite ...
- J'ai peur / Vous avez eu peur ?
  - Il faut / il ne faut pas ...

NOTIONS

- L'ordre
- La négation
- Le présent

- Le passé composé

GRAMMAIRE

- Il faut / il ne faut pas ...
- Ne ... pas ... (reprise)
- Les verbes *avoir* et *être* à la 3e pers. plur. du présent
- Le verbe *trouver* à la 3e pers. plur. du passé composé

LEXIQUE

- La ville / le quartier
- Les commerçants
- L'orientation

PHONÉTIQUE ET INTONATION

- [t] et [d]

11

97 à 104

Face B

TEXTES ENREGISTRÉS

PAGE 98 → BD
J'ai peur !

PAGE 101 → Comptine
Il faut dire

PAGE 102 → Activité
**Comment va-t-on
chez Sandrine ?**

PAGE 104 →
Arthur le kangourou

FIGURINES NOUVELLES

Le clown

La boucherie, la crémerie,
l'école, l'épicerie, la maison,
le marchand de fruits
et légumes, la piscine, le pont

Conseils pédagogiques

Pour commencer

Il s'agit de faire reconnaître quelques lieux et identifier quelques sensations.

Présenter au tableau de feutre les figurines de quelques lieux (l'école, un pont, une épicerie...).
Retrouver le pont sur le plan de la page 99. Montrer aussi le manège à côté du Palais des glaces.
Mimer ensuite quelques «sensations» (J'ai peur, j'ai froid, je suis content, je suis triste) et donner l'équivalent en français.

Demander aux enfants de travailler à deux.
Un enfant (E.1) mime une sensation, un autre enfant (E.2) lui pose une question. E.1 répond.

Passer dans les groupes et corriger.

J'ai peur

Faire observer la B.D. On se trouve dans une fête foraine et on aperçoit des manèges, des loteries, le «Château des horreurs».
Les personnages sont déjà connus. Sauf le clown qu'on peut montrer sur l'affiche et présenter sous forme de figurine au tableau de feutre. On peut afficher au tableau de feutre tous les personnages.

La musique qui introduit le dialogue reprend une ambiance de fête foraine avec bruits de foule, tirs à la carabine, etc.

> ### J'AI PEUR !
>
> JULIEN   Pardon, monsieur, pour aller au Château des horreurs ?
> LE CLOWN   Alors... vous continuez tout droit jusqu'au manège. Là, il faut tourner à droite, passer sous le pont et prendre ensuite la deuxième allée à gauche. C'est l'allée du château. L'entrée du Château des horreurs est juste au bout de l'allée. Compris ?
> JULIEN   Oui, monsieur. Merci beaucoup.
> SANDRINE   Le Château des horreurs... les sorcières... j'ai peur !
> JULIEN   Allons ! Faut pas avoir peur... je suis là.
> DES ENFANTS   Voilà Sandrine ! Voilà Julien ! Vous avez eu peur ?
> SANDRINE   Pas du tout !

Conseils linguistiques

P.   J'ai peur.
       Et maintenant, j'ai froid.

E.1   (mime qu'il a froid)
E.2   Qu'est-ce que tu as ?
E.1   Devine
E.2   Tu as froid ?
E.1   Oui, j'ai froid

PAGE **98**

P.   Qui a peur du fantôme ? Sandrine ? Julien ? Écoutons !

Le bon chemin

La fête foraine est représentée sous forme de plan. Il faut donc trouver sur ce plan l'itinéraire que le clown indique aux enfants, dans le dialogue enregistré. Plusieurs écoutes seront nécessaires.

RÉÉCOUTE . CONTRÔLE DE LA COMPRÉHENSION ORALE

Si les enfants ont du mal à tracer l'itinéraire, on peut fractionner l'écoute et leur faire d'abord retrouver les points de repère donnés par le clown : le premier manège, le pont, le Château des horreurs ;
et ensuite les indications d'orientation : tout droit, à droite, sous, la deuxième, à gauche.

Tout droit jusqu'au premier manège.

Au manège, à droite.

Passer sous le pont.

Prendre la deuxième allée à gauche.

le Château des horreurs est au bout de l'allée.

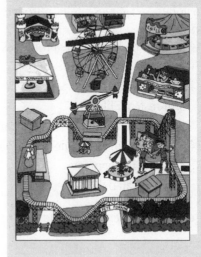

RECONSTITUTION DU DIALOGUE

Passer à la reconstitution du dialogue.
Procéder comme d'habitude.

JEU DRAMATIQUE

Pour le jeu dramatique, former des groupes de trois enfants et ne travailler que la première partie du dialogue. (L'orientation, l'itinéraire à suivre.)
À partir du plan, on peut imaginer d'autres itinéraires. En cas de modification les enfants devront définir dans chaque groupe l'itinéraire qu'ils veulent proposer et le respecter. Indiquer très clairement le point de départ.

Si on le souhaite, et si ces éléments sont familiers aux enfants, on peut leur indiquer sur le plan d'autres points de repère possibles : les autos tamponneuses, le train-fantôme, le Palais des glaces, la loterie, le stand de tir, la chenille, la grande roue, etc.

E.1 Pardon, monsieur, je suis au Château des horreurs,
pour aller au train-fantôme ?

E.2 Vous allez tout droit, puis il faut prendre la première allée à gauche et c'est juste au bout de l'allée.

Jacques a dit

Ce jeu fait travailler l'expression de l'ordre avec «il faut» et «il ne faut pas».

RÉEMPLOI DU LEXIQUE

Avant le jeu

Pour jouer à «Jacques a dit» retrouver avec les enfants ce qu'Arthur fait :

① ⑯ il fait de la planche à roulettes
② ⑧ il va à la piscine
③ ⑪ il fait du ski
④ ⑮ il reste au lit
⑤ ⑩ il lit un livre
⑥ ⑫ il prend un parapluie
⑦ ⑭ il met un manteau
⑨ ⑬ il joue au ballon

Passer ensuite à l'expression de l'ordre avec «il faut».

Demander à des enfants différents d'opérer la transformation.

Faire transformer ensuite à la forme négative avec «il ne faut pas ».

ACTIVITÉ DE PRODUCTION ORALE

Le jeu
On joue en deux équipes : A et B.
Les chiffres sur fond rouge correspondent à «il ne faut pas».
Les chiffres sur fond vert correspondent à «il faut».
On prépare seize cartes numérotées de 1 à 16.

Un élève (E.1) de l'équipe A tire un numéro, par exemple le 4. C'est un chiffre sur fond vert. Il doit donc produire une phrase affirmative. Son équipe marque un point si sa phrase est correcte.

Un élève (E.2) de l'équipe B tire un autre numéro, par exemple le 8. C'est un chiffre sur fond rouge. Il doit donc produire une phrase négative.

P. Numéro 1 : que fait Arthur ?
E.1 Arthur fait de la planche à roulettes. (...)

P. Jacques a dit «Il faut faire de la planche à roulettes».

P. (E.1), tu prends le numéro 6.
E.1 Jacques a dit : «Il faut prendre un parapluie».

P. (E.2), tu prends le numéro 9.
E.2 Jacques a dit «Il ne faut pas jouer au ballon».

P. Tire une carte. Ah, c'est le numéro 4. et c'est une case verte.
Qu'est-ce que Jacques a dit ?
E.1 Jacques a dit : «Il faut rester au lit».

P. À toi, (E.2). Tire une carte.
Qu'est-ce que c'est ?
E.2 C'est un 8 rouge. Jacques a dit : «Il ne faut pas aller à la piscine».

Variante

Quelques jours plus tard, on peut revenir sur cette page pour jouer selon une autre règle.
Un élève choisit une case, dit la phrase qui lui correspond. Les autres élèves doivent trouver le numéro de la case.

Inscrire au tableau au fur et à mesure les cases utilisées.

Il existe un vrai jeu qui s'appelle «Jacques a dit» qui a inspiré cette activité.

Dans ce jeu, le meneur de jeu donne des ordres. Il peut utiliser deux formes, soit : «Jacques a dit : levez-vous», soit «levez-vous». Dans le premier cas, l'ordre doit être exécuté, tous les élèves se lèvent, dans le second cas, lorsque la phrase ne commence pas par «Jacques a dit», il ne faut pas exécuter l'ordre. Les élèves restent donc immobiles. Ceux qui se trompent sont éliminés. Le dernier qui reste a gagné.
Pour que ce jeu soit amusant, il faut que le meneur de jeu donne ses ordres très rapidement et varie leur forme de façon inattendue.

P. E.1, choisis une case.
E.1 Jacques a dit : «Il ne faut pas jouer au ballon».
E.2 J'ai trouvé : c'est la case numéro 13.

Il faut dire

LES SONS [t] ET [d]

Présenter au tableau de feutre des figurines représentant des mots contenant l'un de ces deux sons.
Les faire reconnaître, puis les faire classer.

[t]	[d]
Arthur	déménageur
montre	sandales
cartable	radis
table	salade
tapis	Sandrine
trousse	viande
tomate	
veste	
confiture	
chaussettes	
présentateur	

Pour prononcer correctement le son [t] comme dans «trousse», il faut garder la bouche légèrement ouverte et appuyer légèrement la langue contre les incisives supérieures.
Les cordes vocales ne vibrent pas.

Pour aider les enfants à articuler correctement ce son, leur rappeler qu'il faut le prononcer en gardant une certaine tension musculaire.

Pour prononcer correctement le son [d] comme dans «déménageur», procéder comme pour prononcer le son [t], mais faire vibrer les cordes vocales.
Pour aider les enfants à articuler correctement ce son, leur rappeler que les cordes vocales vibrent et que le son est prononcé avec les muscles relâchés.

LA DISCRIMINATION

Proposer le jeu de «Pigeon vole» en se servant de mots présentés en début d'activité et de distracteurs (mots déjà connus et comportant des sons que les enfants, selon leur langue maternelle, ont tendance à confondre).

L'ÉCOUTE

Faire écouter la comptine

Faire retrouver les personnages dans l'illustration. À partir de la gauche de la page (ou de la droite de l'enfant) : la maman, le papa, la maîtresse, l'agent, le dentiste, la grande sœur.

L'ARTICULATION

Proposer un ou plusieurs des jeux décrits précédemment.

LE RYTHME

Faire retrouver le rythme à partir des groupes de souffle.

/IL FAUT DIRE.../

/Il faut dire bonjour à la dame/
/Dit maman,/
/Il ne faut pas mettre les doigts dans son nez/
/Dit papa,/
/Il faut fermer la porte/
/Dit la maîtresse,/
/Il ne faut pas manger trop de bonbons/
/Dit le dentiste,/
/Il faut regarder avant de traverser/
/Dit l'agent,/
/Il ne faut pas dire de gros mots/
/Dit ma grande sœur./

/Pff... c'est dur d'être petit!/

L'INTONATION

Travailler comme dans les unités précédentes en formant une ronde ou en faisant travailler les enfants à deux.

Pour l'animation, distribuer les rôles (maman, le dentiste, papa, la maîtresse, l'agent, la sœur, l'enfant).

Former les groupes. L'enfant dira son vers après l'intervention de chaque personnage.

E.1 Il faut dire bonjour à la dame

Dit maman,

E.2 Il ne faut pas mettre les doigts dans son nez

Dit papa,

E.3 Il faut fermer la porte

Dit la maîtresse,

E.4 Il ne faut pas manger trop de bonbons

Dit le dentiste,

E.5 Il faut regarder avant de traverser

Dit l'agent,

E.6 Il ne faut pas dire de gros mots

Dit ma grande sœur.

E.7 Pff... c'est dur d'être petit !

PAGE **102**

Comment va t-on chez Sandrine

Dans cette activité, on travaille la localisation.

ÉCOUTE . ACTIVITÉ DE CONTRÔLE DE LA COMPRÉHENSION ORALE

Faire retrouver quelques points de repère dans le plan en se servant de la page et des figurines (le pont, la piscine, l'école, l'épicerie).
Indiquer que le point de départ se trouve en bas à droite, là où on voit un personnage qui lit un plan.

Faire écouter l'enregistrement

P. Regardez bien . Montrez-moi le pont... la piscine...
Pour trouver le chemin qui va chez Sandrine, il faut partir en bas, à droite. Vous voyez le personnage qui tient un plan ?
Écoutez .

> ### COMMENT VA-T-ON CHEZ SANDRINE ?
>
> Pour aller chez Sandrine, c'est facile. Il faut passer sous le pont, tourner à gauche et prendre la troisième rue à droite. Il faut ensuite passer devant la piscine, continuer tout droit jusqu'à l'école, et là, tourner à gauche. Après, il faut passer devant l'épicier. La maison de Sandrine est juste au bout de la rue.

Procéder à plusieurs écoutes, fractionner l'enregistrement si nécessaire pour faire localiser les points de repères importants.

Faire tracer ensuite l'itinéraire à suivre :

passer sous le pont

tourner à gauche

la troisième rue à droite

passer devant la piscine

continuer tout droit jusqu'à l'école

tourner à gauche

la maison de Sandrine est au bout de la rue

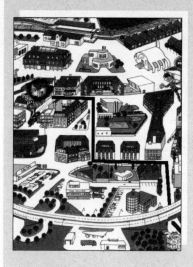

ACTIVITÉS DE PRODUCTION ORALE

Pour prolonger l'exercice, choisir d'abord deux ou trois endroits où se rendre (exemple : l'école, la piscine, l'épicerie ou si l'on veut introduire de nouveaux mots : l'hôtel, la gare, la mairie...). Ne pas modifier le point de départ.

Trouver ensemble oralement le chemin à suivre, suivant les exemples.

Travailler en binômes. Chaque binôme choisit un endroit où aller et un itinéraire et prépare les consignes. Le reste de la classe doit dessiner l'itinéraire avec un crayon de couleur différente.

E.1 + E.2 Pour aller à la gare, il faut ...

Mode d'emploi

ACTIVITÉ MANUELLE

Pour faire fabriquer une sorcière, faire retrouver d'abord tout le matériel scolaire déjà connu et dessiné sur la page : feuilles de papier, ciseaux, colle, crayons.

Jeu de la marchande

Disposer ce matériel en quantité suffisante pour tout le monde sur une table qui deviendra le magasin. Ajouter des distracteurs (des cahiers, des livres...). Faire en sorte qu'il y ait des crayons et du papier de différentes couleurs.

P. Aujourd'hui, on va faire un petit travail manuel. On va fabriquer une sorcière.

P. Nous allons d'abord jouer à la marchande. Vous devez acheter le matériel dont vous avez besoin pour fabriquer votre sorcière.

Demander aux enfants de venir «acheter» au magasin en utilisant la formule «je voudrais».

Fabrication

Quand on aura construit les sorcières (même à la maison si le temps ne permet pas de travailler en classe), demander aux enfants de leur donner un nom, une adresse et un âge.

Par groupes de deux, les enfants «intervieweront» la sorcière d'un copain.

Arthur le kangourou

Faire écouter en suivant les images.

Sortir les quatre nouvelles cartes et travailler en jouant à «que fait Arthur ?»

Retravailler la phonétique en organisant un jeu du kangourou.

[t]
Lucie invite Arthur (U3)
Arthur va chez elle (U3)
Lucie se cache sous la table.(U3)
il doit rester trois jours au lit (U4)
Arthur aime le chocolat (5)
Lucie, l'amie d'Arthur, aime ... (U5)
Elle n'aime pas les citrons (U5)
Il regarde son album de photos (U6)
La grand-mère d'Arthur est vieille. Elle a des lunettes (U6)
Le grand-père d'Arthur a une grosse moustache (U6)
La petite sœur d'Arthur s'appelle Alice. Elle est toute petite (U6)
Ils mettent des gants et un bonnet (U7)
Il est assis dans le canapé (U8)
Hier... il a acheté de la viande (U9)
Il est monté au grenier (U10)
Il a trouvé un portrait mystérieux (U10)
Arthur est amoureux (U10)
Ils ont trouvé la sortie (U11)

[d]
Il dessine (U1)
Il découpe (U1)
Mais où est donc Lucie ? (U3)
Il est malade (U4)
Il a mal au dos (U4)
Le lapin médecin vient le voir (U4)

E. Bonjour! Je voudrais de la colle, des ciseaux, et trois feuilles de papier, s'il vous plaît.
(...)

PAGE 104

Il doit rester trois jours au lit (U4)
Lucie, l'amie d'Arthur, aime les glaces (U5)
Il regarde son album de photos (U6)
La grand-mère d'Arthur est vieille. Elle a des lunettes (U6)
Le grand-père d'Arthur a une grosse moustache (U6)
La petite sœur d'Arthur s'appelle Alice (U6)
Ils mettent des gants et un bonnet (U7)
Il neige, ils font du ski (U7)
Il est assis dans le canapé (U8)
Il prend une douche (U8)
Il se couche dans son grand lit (U8)
Hier, il a acheté de la viande (U9)
Chez l'épicier, du riz (U9)
Chez le crémier, du lait, du fromage et des œufs (U9)
Chez le marchand de légumes, de la salade et des pommes (U9)
Ils sont perdus (U 11)
Ils regardent le plan (U11)

Si vous souhaitez aborder l'écrit
vous trouverez un exercice page 123
du livre de l'élève et sa correction
à la fin du guide pédagogique.

ACTES DE PAROLE

- Demander / dire l'heure

- Prendre congé
- Donner des renseignements sur une personne
- Exprimer une demande, un désir
- Se présenter

RÉALISATIONS LINGUISTIQUES

- Quelle heure est-il ?
  Il est huit heures et quart / et demie
  À huit heures
- Au revoir, à l'année prochaine !
- Et vous, que faites-vous ?

- Envoyez-nous vite une ...
- Nous sommes vos correspondants

NOTIONS

- Le temps
- Le pluriel

GRAMMAIRE

- Les verbes *être, avoir, dessiner, faire, jouer, aller, lire, se cacher, se réveiller* et *manger* à la 1re pers. plur. du présent

LEXIQUE

- Les moments de la journée
- L'heure
- Les activités scolaires

PHONÉTIQUE ET INTONATION

- [œ] et [ø]

 105 à 112

Face B

FIGURINES NOUVELLES
Une horloge

Conseils pédagogiques

Pour commencer

Les enfants ont besoin, pour comprendre le dialogue, de savoir se repérer dans le temps.

Se servir de la figurine de l'horloge à aiguilles mobiles pour introduire l'heure.
Commencer par l'heure entière (les enfants connaissent déjà les nombres). Insister sur la présence du mot «heure».

Faire retrouver l'heure indiquée sur l'horloge. Puis demander à un enfant de remplacer le professeur.

Introduire ensuite la demi-heure.
Procéder comme pour l'heure entière.

Nos correspondants

Observer la B.D. Sandrine et Julien (micro et crayon à la main) sont à l'école. Dans la deuxième image, le personnage de Sandrine hors-cadre indique la situation de «reportage».
Utiliser l'affiche pour repérer les différentes activités : entrée à l'école, récréation, déjeuner à la cantine, sortie de l'école.

Faire écouter l'enregistrement.
La musique qui introduit le dialogue démarre sur une sonnerie d'école, puis évoque le ryhtme de la journée. Une voix annonce «il est huit heures..., il est dix heures et demie».

NOS CORRESPONDANTS

JULIEN	Chers amis, bonjour.
SANDRINE	Nous sommes vos correspondants français.
JULIEN	Nous vous envoyons une cassette et des dessins qui racontent notre journée à l'école.
SANDRINE	Le matin, la classe commence à huit heures et demie. Pendant la récréation, à dix heures et demie, nous jouons à cache-cache, aux billes ou à nous attraper.
JULIEN	À midi et demi, nous mangeons tous ensemble à la cantine de l'école. Il y a beaucoup de bruit, mais c'est amusant. À quatre heures de l'après-midi, l'école est finie.
SANDRINE	Et vous, que faites-vous dans votre école ?
S & J	Envoyez-nous vite une cassette et des dessins.
TOUS LES ENFANTS	Au revoir ! À l'année prochaine!

Conseils linguistiques

P.   Regardez : il est deux heures,
      il est huit heures...

P.   Quelle heure est-il ? /
      Quelle heure il est ?
E.1   Il est six heures...

P.   Regardez : il est deux heures et demie.
P.   Quelle heure est-il ?
E.1   Il est deux heures et demie.

PAGE 106

P.   Sandrine, Julien et leurs copains de classe écrivent à leurs correspondants à l'étranger. Ils racontent leur journée à l'école. Écoutez !

Une journée à l'école

La page se compose de quatre bandes qui reprennent en les prolongeant les quatre activités de la B.D. Sur chacune d'elles se trouve une horloge que les enfants devront compléter.
Dans l'ordre des images :

8 h 30 (la classe commence)
10 h 30 (la récréation)
12 h 30 (la cantine de l'école)
4 h (la sortie de l'école)

RÉÉCOUTE . CONTRÔLE DE LA COMPRÉHENSION ORALE

Après deux écoutes, demander aux enfants de compléter la page 107, et de dessiner les aiguilles.

Corriger ensemble

Se servir de l'horloge pour la correction. Comme d'habitude, revenir à l'enregistrement pour confirmer la bonne solution.

RECONSTITUTION DU DIALOGUE

Passer ensuite à la reconstitution du dialogue et revenir à l'enregistrement pour contrôler et retrouver la bonne réponse.

JEU DRAMATIQUE

Former des groupes de deux enfants qui présenteront leur journée à l'école, ou la journée de Sandrine et de Julien en alternant les voix.

Fixer ensemble les variantes possibles en prenant des exemples dans l'emploi du temps des enfants mais en gardant les mêmes activités. Par exemple :
– déjeuner à la maison ou à la cantine,
– heures d'entrée et de sortie, et de récréation différentes.

P. Et vous, à quelle heure avez-vous la récréation ? / Et nous, à quelle heure avons-nous la récréation ?
À midi, où est-ce que vous mangez ? / À midi, vous mangez où ?

Jour et nuit

Cette activité fait travailler sur la notion de temps.

RÉEMPLOI DU LEXIQUE

Présenter les moments de la journée en français : le matin, l'après-midi, le soir, la nuit ainsi que minuit et midi.
Se servir des figurines et de l'horloge.

Demander ensuite à chaque enfant de compléter sa journée.

ÉCOUTE . ACTIVITÉ DE PRODUCTION ORALE

Faire écouter l'enregistrement et demander aux élèves d'écrire sur les horloges les heures qu'ils entendent dans l'ordre de l'enregistrement.
Les horloges correspondant aux deux premières phrases de l'enregistrement sont déjà complétées, à titre d'exemples.

JOUR ET NUIT

C'est la nuit, il est minuit.

c'est le jour, il est midi.

c'est le matin, il est 9 heures.

c'est l'après-midi, il est 3 h moins le quart.

c'est le soir, il est 9 heures.

c'est le matin, il est 10 h et demie.

c'est l'après-midi, il est 4 h et demie.

c'est le soir, il est 6 h et quart.

Corriger ensemble.
Vérifier que les élèves ont bien dessiné les aiguilles en comparant avec l'horloge au tableau.

Pour retravailler sur les moments de la journée, dessiner au tableau huit cadrans et les symboles (soleil et lune) du jour et de la nuit.

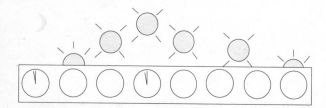

Minuit   9 h   10h1/2   midi   3h-1/4   4h1/2   6h-1/4   9 h

Dessiner minuit sur le premier cadran et midi sur le quatrième. Réécouter l'enregistrement. Demander ensuite aux enfants de replacer selon les moments de la journée (matin, après-midi et soir) les différentes heures dans l'ordre chronologique de la journée.

Former des binômes.

À tour de rôle, un enfant posera à l'autre la question.

Inviter les groupes à se produire devant la classe.
Leur demander de se servir de l'horloge.

À onze heures...

LES SONS [œ] ET [Ø]

Pour prononcer correctement le son [œ] comme dans
«beurre», partir du son [ɛ] de «chaise». Arrondir un peu
les lèvres. Pour aider les enfants à bien articuler ce son,
veiller à l'arrondissement des lèvres et demander aux
enfants de prolonger le son.

Pour prononcer correctement le son [Ø] de «œufs», il suffit
de partir du son [œ] et de fermer un peu les lèvres et la
mâchoire.
Veiller à ce que les enfants ferment un peu les lèvres.

La fermeture du son [œ] permet de définir le nombre (pluriel) de certains noms : «œuf» [œf] devient «œufs» [Ø],
«œil» [œj] devient «yeux» [jØ].

LA DISCRIMINATION

Proposer le jeu de «Pigeon vole» en se servant de mots
présentés en début d'activité et de distracteurs (mots déjà
connus et comportant des sons que les enfants, selon leur
langue maternelle, ont tendance à confondre).

L'ÉCOUTE

Faire écrire les heures au tableau ou les faire afficher sur
l'horloge de la classe.

L'ARTICULATION

Proposer quelques-uns des jeux décrits précédemment.

LE RYTHME

Faire retrouver le rythme à partir des groupes de souffle.

```
/À ONZE HEURES.../

/À onze heures :/
/chez l'Ambassadeur/

/À midi :/
/rue Garibaldi/

/À treize heures :/
/aller voir ma sœur/
                              .../...
```

P. Vous connaissez tooutes ces figurines. On va trier tous ces mots,
comme d'habitude.

[œ]	[Ø]
beurre	œufs
couleur	deux
déménageur	vieux
instituteur	
feuille	
jeune	
présentateur	

...../.....
/À quatorze heures :/
/bloquer l'ascenseur/

/À quinze heures :/
/chez le directeur/

/À seize heures :/
/je mange des p'tit-beurre/

/Dix-sept heures :/
/écrire à Honfleur/

/Dix-huit heures :/
/filer en douceur/

/À vingt heures :/
/éviter les heurts/

/Que faire À VINGT ET UNE HEURES?/

L'INTONATION

Travailler comme dans les unités précédentes en formant une ronde ou en faisant travailler les enfants à deux.

Pour l'animation, faire réciter la comptine à deux : à tour de rôle, un enfant devra se servir de l'horloge pour indiquer l'heure, l'autre devra réciter le vers qui correspond.

On pourra aussi former des groupes de trois enfants et faire jouer la comptine en ronde. Le dernier vers sera dit par tout le monde.

À onze heures :

chez l'Ambassadeur

À midi :

rue Garibaldi

À treize heures :

aller voir ma sœur

À quatorze heures :

bloquer l'ascenseur

À quinze heures :

chez le directeur

À seize heures :

je mange des p'tit-beurre

Dix-sept heures :

écrire à Honfleur

Dix-huit heures :

filer en douceur

À vingt heures :

éviter les heurts

Que faire À VINGT ET UNE HEURES ?

Le petit martien

Le jeu permet de reprendre le lexique et de sensibiliser à la conjugaison.

RÉEMPLOI DU LEXIQUE : LES MOMENTS DE LA JOURNÉE ET LES SAISONS

Revoir d'abord ensemble toutes les activités connues : être content, avoir peur, dessiner, faire de la bicyclette, jouer au ballon, aller à la piscine (nager), faire de la planche à roulettes, lire un livre, se cacher, faire du ski, se réveiller (se lever), manger, faire la cuisine, faire les courses, manger une glace.

À côté du parcours on trouve d'autres dessins d'activités : regarder la télévision, être en classe, dormir (se coucher), manger.

Introduire ensuite les saisons avec les figurines. Elles sont représentées aux quatre coins des deux pages. Faire classer les différentes activités selon les saisons en ajoutant le temps qu'il fait (beau, mauvais, chaud...).

Bien entendu, certaines activités ne sont pas liées à une saison précise.

Faire transformer à la première personne du pluriel.

ACTIVITÉ DE PRODUCTION ORALE

Expliquer qu'un petit martien, venant de la planète Mars est arrivé sur la terre. Il ne connaît personne et il va se comporter de façon différente des autres enfants.

Toute la classe joue. Un seul élève doit sortir de la classe quelques instants (E.1) (on peut le désigner en se servant d'une comptine). Pendant ce temps, on attribue les activités de la double page aux enfants. Si le groupe est supérieur à quinze, on distribue deux fois les mêmes activités. On désigne aussi celui qui sera le petit martien.

Les élèves se préparent à dire leur activité à la première personne du pluriel sauf le petit Martien qui doit parler à la première personne du singulier.

P.	C'est l'été. Qu'est-ce que tu fais ?
E.1	En été, il fait chaud et beau, je vais à la piscine et je mange une glace...
P.	Vous mangez seulement en été ?
E.1	Mais non, je mange en été, en automne, en hiver et au printemps aussi.
E.1	Nous dessinons.
E.2	Nous jouons au ballon.
E.3	Nous avons peur...
P.	Dans notre jeu, un petit martien arrive sur la terre. Il parle français, mais il est différent. Il ne sait pas dire «nous», il dit seulement «je».
E.1	Quelle heure est-il ?
E.2	Il est midi.
E.1	Qu'est-ce que vous faites ?
E.2	Nous mangeons.

Ils choisissent aussi une heure qui peut convenir à leur activité. Les autres élèves auront à mimer tous ensemble cette même activité.

Celui qui est sorti rentre dans la classe. Le jeu commence.

Tous les autres enfants miment avec lui l'action de manger, E.1 pose une autre question à un autre enfant (E.3).

E.1	Quelle heure est-il ?
E.3	Il est midi.
E.1	Qu'est-ce que vous faites ?
E.3	Je mange.
E.1	J'ai trouvé, tu es le petit martien.

Si l'enfant répond à la première personne et que personne dans la classe ne mime l'action, c'est qu'il est le petit Martien.

Arthur le kangourou

PAGE 112

Faire écouter en suivant les images.

Sortir les quatre dernières cartes pour jouer à « Que fait Arthur? ».

Organiser un jeu du Kangourou.

[Ø]
Il pl<u>eu</u>t, ils prennent un parapluie (U7)
Chez le crémier, du lait, du fromage et des <u>œu</u>fs (U9)
Il a trouvé un portrait mystéri<u>eu</u>x. Elle est belle! Elle a les y<u>eu</u>x bl<u>eu</u>s (U10)
Arthur est amour<u>eu</u>x (U10)

[œ]
La petite s<u>œu</u>r d'Arthur s'appelle Alice (U6)
Ils ont p<u>eu</u>r (U11)
Sept h<u>eu</u>res, Arthur se réveille… (U 12)
Huit h<u>eu</u>res, il va à l'école (U 12)
Seize h<u>eu</u>res trente, il rentre de l'école… (U 12)
Vingt et une h<u>eu</u>res, il se couche… (U 12)

Si vous souhaitez aborder l'écrit vous trouverez un exercice page 123 du livre de l'élève et sa correction à la fin du guide pédagogique.

B.D.

- Donner des renseignements sur une personne
- Demander / donner des renseignements sur un itinéraire
- Exprimer des sentiments, des humeurs
- Demander / dire l'heure

ACTIVITÉS

- Lexique

ARTHUR LE KANGOUROU

- La conjugaison du présent
- Les 3 personnes du singulier du passé composé

POUCE 4

113 à 116

Face B

Que disent-ils ?

CONTRÔLE DU LEXIQUE ET DE LA COMPÉTENCE DE COMMUNICATION

La page reproduit trois séquences extraites des bandes dessinées des trois unités précédentes (pages 90, 98, 106).

Utiliser l'enregistrement à la fin de l'activité, pour vérification seulement.

QUE DISENT-ILS ?

Unité 10

CHANTAL   Une princesse, peut-être... elle est blonde, elle a les yeux verts, les cheveux longs et elle est triste.

SANDRINE   Tu crois ?

Unité 11

JULIEN   Pardon, monsieur, pour aller au Château des horreurs ?

CLOWN   Alors, vous continuez tout droit jusqu'au manège.

SANDRINE   Le Château des horreurs, les sorcières, j'ai peur !

JULIEN   Allons, faut pas avoir peur... je suis là...

Unité 12

SANDRINE   Pendant la récréation, à 10 heures et demie, nous jouons à cache-cache, aux billes ou à nous attraper.

Le jeu du mouchoir

CONTRÔLE DU LEXIQUE . ACTIVITÉ DE PRODUCTION ORALE

Les règles du jeu sont expliquées par les quatre dessins qui entourent la roue.
La roue est elle-même divisée en douze bandes correspondant aux douze unités du livre. Un dessin rappelle le thème de l'unité sur chaque bande.

Avant le jeu, préparer douze papiers numérotés de 1 à 12. Les plier en quatre et les mettre dans une corbeille.

Règles du jeu

Faire asseoir les enfants en rond. Le meneur de jeu (dessiné au centre du cercle) désigné par une comptine jette son mouchoir devant un autre enfant. Ce dernier se lève et va tirer dans la corbeille un papier. Il tire par exemple le n° 8.

Le meneur de jeu et celui qui vient de tirer le n° 8 doivent jouer devant les autres un mini-dialogue se rapportant au thème de l'unité 8.
C'est à partir de ce dialogue que l'enseignant pourra évaluer la production orale.

Le meneur de jeu retourne s'asseoir dans le cercle, et c'est son partenaire qui devient le nouveau meneur de jeu. On recommence alors à la première phase du jeu.

Que font Arthur et Lucie

CONTRÔLE DU LEXIQUE ET DE LA COMPÉTENCE DE COMMUNICATION

Procéder comme dans les POUCES précédents.

> **REGARDE ARTHUR ET LUCIE !**
>
> U10 – Il est monté au grenier.
> U11 – Ils sont perdus.
> U12 – 7 heures, il se réveille et se lève.
> U12 – 21 heures, il se couche et fait des rêves.

1 Les cinq objets sont déjà connus. Chacun d'entre eux est sous-titré puisque les enfants n'ont encore jamais vu ces mots écrits.

Demander aux élèves de compléter les mots incomplets avec les bonnes voyelles

1. une f⟨u⟩s é⟨e⟩   **2.** une v⟨o⟩it⟨u⟩r⟨e⟩

3. un l⟨i⟩v r⟨e⟩   **4.** un b⟨a⟩ll⟨o⟩n   **5.** u n c r⟨a⟩y⟨o⟩n

2 Il s'agit du même type d'exercice avec des consonnes. Les enfants vont d'abord reconnaître l'objet, puis «ire» le mot incomplet qui se trouve au bout de la flèche et chercher ensuite la graphie complète du mot.

Il ne leur reste plus qu'à noter les consonnes manquantes.

3 Le dessin reprend en réduction celui que les enfants ont déjà vu page 26. Ils savent déjà où se trouvent les objets.

On peut commencer par les objets dont ils ont déjà vu le nom écrit, c'est-à-dire tous ceux qui, dans la liste, ne portent pas de numéro.

– demander de noter d'abord le chiffre correspondant dans les cercles sans le dessin puis de recopier le mot sur la ligne, à côté du dessin :

④ une bicyclette   ⑤ un ballon   ① un avion

⑦ des crayons   ⑧ une trousse

– recopier ensuite les mots nouveaux = ③ ⑥ et ②.

4 Les noms des couleurs ont été écrits à la suite sans coupure. Il faut donc faire les coupes au bon endroit et recopier le nom de la couleur. Les mots se trouvent dans l'ordre des cases coloriées.

Pour faire l'exercice, demander aux enfants de travailler ligne par ligne et de gauche à droite. C'est l'initiale du mot suivant qui les aidera à faire la coupure convenablement.

jaune   blanc   marron   rouge   orange   gris   vert   bleu   noir   rose

5 Il s'agit encore d'un exercice de copie mais cette fois le mot est employé dans une phrase.

Demander aux enfants de recopier le mot à côté du dessin correspondant. Les chiffres vont les aider à retrouver le mot.

1. j'aime le chocolat
2. je n'aime pas le lait
3. je n'aime pas la viande
4. j'aime les cerises
5. j'aime les bonbons
6. j'aime les glaces
7. j'aime le riz

À la suite de cet exercice, on peut demander aux enfants d'établir, avec les mêmes aliments, la liste de leurs propres goûts en changeant si c'est nécessaire : «j'aime» et «je n'aime pas».

6 Demander aux enfants de recopier à la bonne place le nom qui convient. L'article et la connaissance qu'ils ont de la structure de l'arbre généalogique pourront les aider.

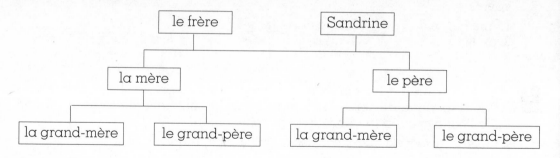

7 Les enfants connaissent les deux cartes symbole = il neige, il fait beau. Ils doivent écrire, en face de chaque carte, les noms des vêtements adaptés au temps.

il neige

un pull
un pantalon
des bottes
un bonnet

il fait beau

un maillot de bain
des lunettes de soleil
un pantalon

8 Les illustrations sont reprises de la page 71.

Demander aux enfants d'observer le premier dessin et de dire le nom des pièces.

Ils doivent ensuite écrire les noms à la bonne place sur le second dessin.

une chambre   les toilettes

une chambre   la salle de séjour

la cuisine

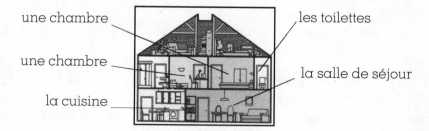

9 Les illustrations sont reprises de la page 80.

Demander aux enfants de dire les noms des aliments des deux premières cartes.

Pour la 3e carte, ils doivent choisir parmi les 8 aliments (de E à L) proposés les 4 qui vont composer leur menu. Plusieurs solutions sont donc possibles. Par exemple :

E. poisson
J. courgettes
K. salade
H. cerises

ou

I. viande
F. riz
G. fromage
L. pommes

etc.

10 Ce dessin s'inspire de celui de la page 91.

Lire aux enfants la légende du dessin : «Le nez est rouge, la bouche est verte, les cheveux sont noirs, les oreilles sont jaunes, le menton est violet, le cou est orange, les yeux sont bleus et les joues sont roses». Au fur et à mesure, les enfants colorient sur le visage du clown la partie correspondante.

Ensuite faire recopier sur la bonne ligne le mot qui convient. La couleur et la lettre entourée doivent faciliter le travail.

11 La rue dessinée est «drôle» parce qu'on y trouve côte à côte des choses inattendues.

– faire copier sous le dessin le mot qui convient. Le chiffre permet de ne pas faire d'erreur.

① le manège
② la maison de Sandrine
③ l'école
④ l'épicerie
⑤ le Château des horreurs
⑥ la piscine

– Dans la 2ᵉ partie de l'exercice ces mots ont perdu leurs consonnes. Il faut donc les rétablir.

12 Tous les mots présentés sont des mots que les enfants ont déjà vus dans les précédents exercices. Les lettres sont en désordre, il faut les remettre en ordre. Les numéros correspondent à l'exercice proposé pour chaque unité.

① le ballon
② une trousse
③ des lunettes
④ orange
⑤ le chocolat
⑥ le frère
⑦ un pantalon
⑧ la cuisine
⑨ le fromage
⑩ la bouche
⑪ le manège

L'ALPHABET PHONÉTIQUE INTERNATIONAL

VOYELLES

[i]	: si, physique
[e] (fermé)	: été, et
[ɛ] (ouvert)	: mère, tête, mais
[a] (antérieur)	: patte
[ɑ] (postérieur)	: pâte, bas
[ɔ] (ouvert)	: notre, or
[o] (fermé)	: le nôtre, auto
[u]	: mou
[y]	: tu
[Ø]	: bleu, il pleut
[œ]	: fleur, cœur
[ə]	: le, de

VOYELLES NASALES

[ã] : an, cent
[ɛ̃] : vin, chien + brun
[ɔ̃] : son, comble
[œ̃] : brun, parfum

SEMI-VOYELLES

[w] : oui, roi
[ɥ] : lui, puits
[j] : pied, ail, feuille

CONSONNES

[b] : bon
[d] : dur
[f] : fort, philosophie
[g] : goût
[ʒ] : jeune, âgé, mangeons
[k] : corps, cinq, qui, kilo
[l] : le
[m] : me
[n] : ni
[p] : papa
[r] : Paris
[s] : se, ce, leçon, dix, action
[t] : toi
[v] : vous
[z] : zéro, disons, dixième
[ʃ] : chat, schéma, short
[ɲ] : peigne

ACTES DE PAROLE / RÉALISATIONS LINGUISTIQUES

LES FIGURINES

Le numéro renvoie à l'unité où la figurine est utilisée pour la première fois.

A arbre 2
armoire 8
Arthur 1
automne 7
avion 2

B ballon 1
banane 5
bananes 9
beau/belle 7
beurre 9
bicyclette 2
billes 3
bonbons 3
bonnet 7
bottes 7
boucherie 11

C cahier 2
canapé 8
carottes 9
carré 5
cartable 2
cerise 2
cerises 9
chaise 8
Chantal 6
chat 1
chaussettes 7
chaussures 7
chien 2
chocolat 5
ciel 4
ciseaux 1
citron 4
clown 11
coccinelle 4
colle 1
confiture 9
content(e) 10
corps humain 4
couleurs (11 pastilles) 4
courgettes 9
court(e) 10
crayon 1
crayons de couleurs 3
crémerie 11

D déménageur 8

E écharpe 7
école 11
éléphant 4

épicerie 11
Éric 3
escargot 5
été 7

F feuille de papier 1
fille 2
fromage 5
fusée 1

G gants 7
garçon 2
gentil/gentille 7
glace 5
grand 5
grand-père
de Sandrine 6
gros(se) 10

H hiver 7
horloge 12
huile 9

I il fait beau 7
il fait chaud 7
il fait froid 7
il fait mauvais 7
il neige 7
il pleut 7
imperméable 7
instituteur 3

J jeune 7
Julien 1
jupe 7
jus de fruits 9

K kangourou 1

L laid(e) 7
lait 5
lampe 8
lavabo 8
léger 5
lion 5
lit 8
livre 1
long/longue 10
lourd 5
Lucie 3
lunettes 3
lunettes de soleil 7

M maigre 10
maillot de bain 7

maison 11
maman de Julien 6
maman de Sandrine 6
marchand de fruits et
légumes 11
méchant(e) 7
montre 2

N Nicolas 6

O œufs 9
oiseau 5
orange 4

P pain 9
pantalon 7
papa de Julien 6
petit 5
piscine 11
planche à roulettes 2
poisson 9
pomme 2
pommes 9
pommes de terre 9
pont 11
poule 2
poupée 1
présentateur 2
printemps 7
pull 2

R radis 4
riz 5
rond 5

S salade 4
sandales 7
Sandrine 1
sel 9
short 7
souris 4
sucre 9

T table 8
tapis 8
tee-.shirt 7
tomate 4
triste 10
trousse 1

V veste 7
viande 5
vieux/vieille 7
visage 10
voiture 1

Le numéro renvoie à l'unité où le mot apparaît pour la première fois.
L'astérisque* signale les mots qui apparaissent d'abord ou uniquement dans les
comptines.

A

accord (d')	3
acheter	6*, 9
âge (l')	2
agent* (un)	11
aider	5
aile* (une)	4
aimer	5
album (un)	6
allée (une)	11
aller	3
alors	3
ambassadeur* (un)	12
ami (un)	8*, 12
amie (une)	5
amoureux/-euse	10
amusant/-e	12
année (une)	12
anniversaire (un)	3
appeler (s')	2
applaudir*	10
après-midi (un)	3
arbre (un)	2
arc-en-ciel (un)	8
armoire (une)	8
arriver	4*, 8
asseoir (s')	8
attention	8
aussi	2
automne* (l')	7
automne (l')	7
avec	2
avion (un)	2
avoir	2

B

ballon (un)	1
banane (une)	5
beau/belle	7
beaux *	6
beaucoup de	12
belette* (une)	4
bête	5
beurre (le)	9
bicyclette (une)	2

bille (une)	2
blanc/blanche	4
bleu(e)	4
blond(e)	10
bon* (pour de)	2
bon(ne	)2
bonbon (un)	3
bonjour	2
bonnet (un)	7
botte (une)	7
bouche (la)	10
boucher (le)	9
boucherie (la)	11
bout (au) de	11
bras	4
bruit (le)	12

C

cache-cache (à)	12
caché(e)	1
cacher (se)	1
cadeau (un)	5
cahier (un)	2
canapé (un)	8
cantine (la)	12
carnaval (le)	10
carotte (une)	9
carré	5
cartable (un)	2
carte (une)	3
carton (un)	8
cassette (une)	12
cerise (une)	2
chaise (une)	8
chambre (une)	8
chaperon (le)	6
chat (un)	1
château (un)	7
chatte* (une)	3
chaud(e)	7
chaussette (une)	7
chaussure (une)	7
chemin (le)	11
cheveux (les)	6
chez	3
chiffre (un)	2

chocolat (le)	5
choisir	3
ciel (le)	4
cinq	1*, 2
cinquante	6
cinquième	8
ciseaux (les)	1
citron (un)	4
classe (la)	1
classe (la)	12
clown (un)	11
coccinelle (une)	4
cœur (un)	5
colle (la)	1
coller	1
colorier	1
combien de	2
commencer	12
comment	5
compléter	3
compléter	12
compter	2
comptine (une)	1
confiture (la)	9
construire	1
content(e)	10
continuer	11
copain* (un)	2
correspondant (un)	12
côté (à) (de)	8
côté* (un)	10
côté (à) (de)	8
cou (le)	10
coucher (se)	8
couleur (la)	4
courant d'air* (un)	7
courgette (une)	9
courir*	10
course (une)	9
court(e)	10
crayon de couleur (un)	3
crayon (un)	1
crémerie (la)	11
crémier (le)	9
croire	10
croix (une)	5
croquer*	7
cuisine (une)	8

L

là-bas*	5
laid(e)	7
laisser*	8
lait (le)	5
lampe (une)	8
lapin (un)	4*, 6
lavabo (un)	8
léger/légère	5
lettre (une)	2
lever (se)	12
lion (un)	5
lire	2
lit (le)	4
livre (un)	1
loin	3
long(ue)	10
lourd(e)	5
lundi	9
lunettes (des)	3
lunettes de soleil (des)	7

M

maigre	10
maillot de bain (un)	7
main* (la)	2
main (la)	4
mais	3
maison (la)	8
maîtresse* (la)	11
mal (avoir) à	4
malade	4
maman	4
manège (un)	11
manger	9
manteau* (un)	6
marchand (un)	9
marcher*	10
mardi	9
marmot* (un)	6
marron	4
martien (le)	12
matin (le)	12
mauvais(e)	7
méchant(e)	7
médecin (un)	4
menton (le)	10
mer* (la)	3
merci	11
mercredi	9

mère (la)	6
mettre	4
mettre* (se)	2
midi (le)	12
mimer	12
mode d'emploi (un)	11
monde (le)	4
monsieur	11
monter	10
montre (une)	2
mot (un)	1
moustache (la)	6
mur* (un)	8
mystérieux / mystérieuse	6

N

neiger	7
neuf	1*, 2
neuvième	8
nez (le)	10
noir(e)	4
nouvelle	8
nuit (la)	12
numéro (un)	1

O

objet (un)	1
œuf (un)	9
oiseau (un)	4
onze	3
orange	4
ordre (l')	1
oreille (une)	10
ouvert(e)*	8
ouvrir*	7
ouvrir	10
où	3

P

pain (le)	9
panier (un)	3
papa	3*, 6
parapluie (un)	7
pardon	8
parfait	9
parler*	10
partir	1
partout	4

passer	10
pas du tout	11
patte* (une)	4
peindre*	6
perdu	11
père (le)	6
personnage (un)	6
petit-beurre* (un)	12
petit/-e	5
peur (avoir)	11
peut-être	10
photo (une)	6
pied (le)	4
pipi	8
piscine (la)	7
plage* (la)	3
plan (un)	11
planche à roulettes (une)	2
pleuvoir	7
pluie* (la)	7
pointu(e)*	8
poisson (le)	9
pomme de terre (une)	9
pomme (une)	2
pont (le)	3*, 11
porte* (une)	8
porter	8
portrait (un)	10
poser	8
pot* (un)	6
poule (une)	2
poupée (une)	1
pouvoir	
premier	1
prendre	1
présentateur (le)	2
prince (un)	7
princesse (une)	7
printemps (le)	7
prochain(e)	12
pull (un)	2

Q

quarante	6
quatorze	3
quatre	1*, 2
quatre-vingts	6
quatrième	8
quelle	4
quel	2
quinze	3

R

raconter	12
radis (un)	4
ramasser*	7
ranger	3
rayure* (une)	6
récréation (la)	3
regarder	6
remettre	1
rentrer	6*, 12
rester	4
retrouver	3
rêve (un)	12
réveiller (se)	12
revoir (au)	12
rez-de-chaussée (le)	8
rire*	7
riz (le)	5
rond* (en)	2
rond (un)	1
rond(e)	5
rose	4
rouge	4
rue (la)	3

S

sage	3*, 9
saisons (les)	7
salade (la)	4
salle de séjour (la)	8
salut	1
samedi	9
sandale (une)	7
sauter*	10
savoir	2
secret (le)	10
seize	6
sel (le)	9
semaine (la)	9
sentir*	10

sept	1*, 2
septième	8
short (un)	7
six	1*, 2
sixième	8
ski (le)	7
sœur (une)	6
soigner*	4
soixante	6
soixante-dix	6
soleil* (le)	7
sorcier (un)	7
sorcière (une)	7
sortie (la)	11
souris (une)	4
sous	3
sucre (le)	9
suivre	11
super	3
sur	3
surprise (une)	5

T

table (une)	3
tantôt*	6
tee-shirt (un)	7
télé (la)	2
temps (le)	7
tête (la)	4
toilettes (les)	8
toit* (le)	3
tomate (une)	4
toujours*	8
tourner	11
tourné	10
tout	3
tracer	4
traverser*	11
treize	3
triste	10
trois	1*, 2

troisième	8
trop de*	11
trousse (une)	1
trouver	10

U

un	1*, 2

V

vendredi	9
venir	2
vent* (le)	7
ventre (le)	4
vert(e)	4
veste (une)	7
vêtements (des)	8
viande (la)	5
vieille	6
vieux	7
vingt	6
violet(te)	4
vite	12
vitre (une)	1
voici	2
voilà	1
voir	4
voiture (une)	1

Y

yeux (les)	6*, 10

Z

zèbre (un)	6
zéro	1*

Imprimé en France par I.M.E. - 25110 Baume-les-Dames
Dépôt légal n° 8920 - 05/1992
Collection n° 37 - Edition n° 01
15/4878/3